Andrzej Stasiuk

Grochów

Z ilustracjami Kamila Targosza

wydawnictwo czarne

Wołowiec 2012

Projekt okładki i stron tytułowych KAMIL TARGOSZ
Fotografia Autora © by MAKSYMILIAN RIGAMONTI

Copyright © by ANDRZEJ STASIUK, 2012
Ilustracje wewnątrz tomu © by KAMIL TARGOSZ

Redakcja MAGDALENA BUDZIŃSKA
Korekta MAŁGORZATA POŹDZIK / D2D.PL,
ZUZANNA SZATANIK / D2D.PL
Projekt typograficzny, redakcja techniczna
i skład pismem ITC Charter ROBERT OLEŚ / D2D.PL

Książkę wydrukowano na papierze Alto 80 g/m², vol. 1,5,
dystrybuowanym przez firmę PANTA SP. Z O.O.,
www.panta.com.pl

ISBN 978-83-7536-288-6

Babka i duchy

Moja babka mieszkała na Podlasiu. Chata nie stała we wsi. Mówiło się na to „kolonia" – luźno rozrzucone zagrody, oddzielone osikowymi zagajnikami i szpalerami starych, strzelistych topól. Dom stał w sadzie. Latem w samo południe panował tutaj chłód. Jabłonie były wiekowe, rozrosłe, ich korony splatały się ze sobą – kraina wiecznego cienia.

Ten owocowy las przytykał z jednej strony do łąki. Lecz nigdy nie słyszałem tego słowa. Mówiło się „smug", krowy pasły się na „smugu". Pasmo zieleni ze studnią do pojenia bydła gdzieś w środku. Studnia była stara i zamiast cembrowiny miała szalowanie z desek. Wiadro wyciągało się za pomocą długiego drąga z hakiem na końcu. Ten drąg to była „kluczka".

Samogłoska „u" ma najdelikatniejsze, najbardziej miękkie brzmienie ze wszystkich samogłosek.

Ilekroć myślę o swojej babce, przypominają mi się te dwa słowa: „kluczka", „smug". I jeszcze trzecie: „duch".

Babka wierzyła w duchy.

W latach sześćdziesiątych nie było tam jeszcze prądu. Dziadek wchodził na niski zydelek i zapalał zwisającą z sufitu naftówkę. Jesienią robił to dość wcześnie, o szóstej, może już o piątej. Jesienią przyjeżdżałem z ojcem po jabłka, całe skrzynie jabłek ładowaliśmy do lublina mojego wuja, najprawdziwszego szofera wczesnego i środkowego komunizmu.

No więc babka wierzyła w duchy. I to nie żadną tam strachliwą albo wyrozumowaną wiarą, jaką zyskuje się dzięki okazjonalnym kontaktom z zaświatami, dzięki snom albo przywidzeniom – nie, nic z tych rzeczy.

Zasiadała w kącie, na łóżku zasłanym wełnianą kapą, za plecami mając błękitno-zielony pejzaż z dwoma jeleniami u wodopoju, z którego żółte i subtelne światło lampy wyłuskiwało jedynie srebrzystą biel wody, i opowiadała. To były długie historie. Dotyczyły banalnych zdarzeń, pracy, odwiedzin, wędrówek do sąsiedniej wsi, spotkań z rodziną. Spokojna narracja wypełniona faktami, nazwami rzeczy i imionami ludzi. Topografia ich wsi i kilku okolicznych, chronologia rozpięta między Bożym Narodzeniem, Matką Boską Zielną i Zaduszkami.

W tej szarej materii pojawiały się od czasu do czasu pęknięcia, nitki wątku i osnowy rozstępowały się i przezierały przez nie zaświaty, nadprzyrodzone, w każdym razie Inne.

Oto wracając letnim wieczorem od jednej ze swoich licznych ciotecznych sióstr, widziała babka białą postać pomiędzy kopkami zboża. Ni to człowiek, ni to zwierz, biegł miedzą, to na dwóch, to na czterech nogach, wyraźny w świetle księżyca, lecz wcale nie materialny.

Innym razem, po śmierci bliskiego krewnego, widziała, jak nieboszczyk wchodzi do kuchni, skrzypią drzwi, a gość zagląda do wszystkich szuflad i szafek kredensu, a potem odchodzi, nic ze sobą nie zabierając. To było o świcie. Babka akurat wstawała. Widziała te odwiedziny, siedząc już na łóżku w tym samym miejscu, z którego opowiadała swoje historie.

Oczywiście nie pamiętam ich wszystkich, pamiętam ledwo okruchy. Natomiast przechowałem aurę tych opowieści: niesłychanie zwyczajną, pozbawioną zdziwienia i wykrzykników.

To rozdarcie tkaniny egzystencji następowało raczej w mojej wyobraźni, to ja widziałem przetarcia. Babka przechodziła nad tym do porządku dziennego. W ogóle istniał dla niej chyba jeden niepodzielny porządek zdarzeń tak samo realnych i tak samo uprawnionych. Być może jej świadomość przeprowadzała jakieś rozróżnienia, fastrygowała i naszywała łatki na owe niepewne, przetarte miejsca, ale w opowieściach nie sposób było znaleźć śladów tych napraw.

Gdy w nieruchome, bezwietrzne popołudnie pojawiała się na polu miniaturowa trąba powietrzna, porywająca ustawione snopki, babka po prostu robiła znak krzyża, odprowadzała zjawisko wzrokiem i na powrót zabierała się do pracy. Wszak to tylko Złe manifestowało swoją obecność pod jedną z wielu postaci. Żadnej ekscytacji w rodzaju tych, które towarzyszą wirującym stolikom albo opowiadaniom Edgara Allana Poe. Już bardziej przypominała Swidrygajłowa i jego banalne w formie wypady na drugą stronę istnienia. Jej krewny szperający w kredensie, teraz to widzę, realnością i mocą dorównywał zjawie służącego Filki, wchodzącej do pokoju Arkadiusza Iwanowicza z najzwyklejszą dziurą w łokciu.

Dlaczego nigdy nie opowiadała o świętych? O bytach nadprzyrodzonych potwierdzonych przez naukę Kościoła? Dlaczego nie widywała Piotra i Pawła albo świętej Łucji? Używała ich jedynie dla odmierzenia czasu. Zupełnie tak, jakby byli martwymi przedmiotami, czymś podobnym do idealnych odważników albo miar. Ich nieruchomość była nieruchomością figur, które widywała na niedzielnych mszach. Drewniany kościółek stał w cieniu drzew tak samo głębokim jak ten, w którym stał jej dom. Trzeszczące, brązowe i pozłacane wnętrze raz w tygodniu otwierało przed nią obraz nieskończoności, światła, odległej obietnicy i jeszcze odleglejszej nagrody.

Natomiast duchy, ociężałe od grzechu i przekleństwa dusze, śmierć towarzyszyły jej na co dzień. Prawda, że człowiek bliższy jest śmierci, potępieniu i przypadkowości niż zbawieniu, znajdowała w jej życiu ucieleśnienie.

Zresztą nie była odosobnionym przypadkiem. Moje liczne ciotki, stryjeczne babki, wujenki, które spotykałem w jej domu, brały udział w tych opowieściach, wiele dorzucając od siebie, póki zniecierpliwiony dziadek nie prychnął: „Dałybyście, baby, spokój", powodowany racjonalizmem albo lękiem (czego się już nigdy nie dowiem). Cichły wtedy na chwilę, by znów powrócić, niczym jakieś przewrotne Parki, do snucia nici tego drugiego, ukrytego ludzkiego żywota, żywota, który nawet na chwilę nie zapomina, że w równej części składa się z zatraty i umierania.

Historia o tym, jak pewna matka w samo południe zobaczyła w polu postać nieznajomej, starej kobiety w szarej sukni i tego samego dnia jej dziecko zachorowało, a następnie zmarło. Historia o tym, jak babka któregoś wieczora weszła do obory i coś, uciekając, omal jej nie przewróciło i żadna krowa nie miała mleka.

Historia... historia... historia...

Babka umarła jesienią. Byłem zbyt mały, by zapamiętać dokładną datę. Wiał wtedy wiatr i byłem z ojcem na miejscu, bo lekarze obliczyli skrupulatnie nie tylko dni, ale chyba i godziny. Leżała na przykrytej czarnym materiałem desce, cała w czerni, szczupła i spokojna. Przed złożeniem do trumny (taki był zwyczaj) wszyscy krewni całowali ją w czoło. Być może byłem zbyt mały, by pojąć ideę śmierci. Wiedziony przyzwyczajeniem i uczuciem pocałowałem ją w usta, jak przy każdym powitaniu na początku wakacji. Zdziwiłem się, że jest tak twarda i nieruchoma i że nie pachnie żadnym z tych ciepłych i znanych zapachów.

Strach przyszedł później. W chwili, gdy zobaczyłem na zewnątrz domu czarną kościelną chorągiew ze srebrnym krzyżem. Ktoś przymocował ją do ściany domu tak, że powiewała z łopotem na tle błękitnego nieba i bezlistnych gałęzi.

To była pierwsza w życiu lekcja o przewadze symbolu nad rzeczywistością.

Do czego zmierzam w tym ni to wspomnieniu, ni to opowiadaniu? Niebawem umrą ostatnie babki, które na własne oczy oglądały świat duchów. Oglądały z wiarą i spokojem, oczywiście z lękiem też. Żywa, istniejąca nadprzyrodzona rzeczywistość odejdzie wraz z nimi. Wyjąwszy rzadkie mistyczne doświadczenie wybranych, będziemy skazani na pełną wysiłku i trudną ufność w istnienie niewiadomego. Gładka, wypolerowana powierzchnia codzienności usłużnie podsunie nam nasze własne, płaskie odbicie jako głębię.

Moja babka siadała na skraju łóżka i snuła opowieści. Robiła to bezinteresownie, bez żadnego określonego celu. Zwyczajność niezwyczajnych zdarzeń przydawała im wiarygodności.

Na podwórze wychodziło się przez duże ciemne pomieszczenie zwane śpichrzem. Wisiały w nim stare uprzęże, za drewnianymi zagrodami leżało czyste, odwiane zboże. Ostry zapach nasiąkniętej końskim potem skóry mieszał się z suchą wonią ziarna. Światło wpadało przez niewielki kwadratowy otwór w ścianie. W pogodne popołudnia ciemność śpichrza przebita była na wskroś wąskim strumieniem blasku, w którym wirowały drobiny kurzu. Przebiegałem przez mrok, kruszyłem na chwilę świetlne smugi i wybiegałem na zewnątrz. Za każdym razem towarzyszył mi ten sam lęk. Dopiero w pełnym słońcu podwórza odzyskiwałem normalny oddech.

Przez okno widziałem niewyraźną postać babki, jak krząta się pomiędzy stołem a piecem i przygotowuje obiad. Zupełnie sama, w pustym domu, pomalowana na brązowo podłoga skrzypiała przy każdym kroku, a ona najzwyczajniej w świecie wyjmowała z nawiedzonego kredensu przyprawy, naczynia, łyżki i widelce, którymi wzgardził nieboszczyk.

Potem, gdy już umarła, często wyobrażałem sobie śmierć. Mimowolna wizja była zawsze ta sama: stara kobieta o dobrotliwej i trochę ironicznej twarzy, twarzy mojej babki.

Augustyn

To były jego oczy, ale nas nie widział. Patrzył na nas, ale to nie byliśmy my. Zastaliśmy go leżącego na boku, zwiniętego w kłębek. Było wczesne popołudnie, ale w sali panował półmrok. Po jakimś czasie wyczuł naszą obecność i wolno usiadł na łóżku. Najgorszy był ten nieruchomy wzrok. Wydawało się, że patrzy przez nas na wylot. Bałem się. Czasami jest tak, że zapatrzymy się w oczy psa i nagle dostrzegamy w nich nicość. To było coś takiego. Odór szpitala, gwar gdzieś z korytarza i lęk, że to wszystko przypomina jednak śmierć.

Powtarzaliśmy w kółko swoje imiona i potem jego, potem znowu swoje i znowu jego, bo przecież nic lepszego nie można było zrobić. I jeszcze w kółko: „Pamiętasz? Pamiętasz?". Ale nie dawał żadnego znaku. Pierwszy raz oglądaliśmy go bez okularów i może stąd to wrażenie nicości i ten lęk. Czasami chyba chciał się uśmiechnąć, taki przelotny, przepraszający grymas. Bardzo chcieliśmy w to wierzyć, bo to jednak był ślad nadziei, że tam nie wszystko się popsuło, przepaliło. Nie więcej niż dwadzieścia minut trwała nasza wizyta. Przy pożegnaniu dotykaliśmy go jakoś tak ostrożnie, jak dotyka się niemowlę.

Teraz już nawet nie pamiętam, kto powiedział nam przez telefon: „To wy nic nie wiecie? Augustyn miał wylew w Wielkanoc". To stało się wieczorem albo w nocy w jego pokoju i do rana nikt z domowników nie miał o tym pojęcia. Przy wylewie podobno najważniejsze są pierwsze kwadranse, pierwsza godzina. Jeśli pomoc nadchodzi w miarę szybko, to szanse są większe. Ale Augustyn leżał w swoim pokoju całą noc. Mogłem sobie to wyobrazić. Byliśmy wiele razy w tym narożnym pokoju w domu z czerwonej cegły. Pod oknem asfaltowa szosa robiła zawijas. Z tyłu od razu zaczynało się strome zbocze. Dom był wciśnięty między drogę i górę.

Ile razy tam byliśmy? Pięć, sześć, siedem? Za drugim albo trzecim Guścio poczęstował nas kurą: sosiste, pomieszane z gotowanymi ziemniakami mięso i kiszony ogórek. Pewnie była niedziela. I to był smak najprostszego jedzenia, smak, który potem chodzi za tobą przez całe życie. Matka wniosła obiad do narożnego pokoju i natychmiast wyszła. Wszystkie jego książki, wszystkie opowiadania dzieją się w tym narożnym pokoju. To znaczy wszystko, co napisał, jest głosem dobiegającym z tego miejsca. Jakby musiał w nim zasiąść, żeby z człowieka zamienić się w pisarza.

Pięć, sześć, siedem spotkań w życiu. Zawsze potem jest za mało. Zawsze potem widać, że trzeba było częściej. Jego spojrzenie wtedy, w rzeszowskim szpitalu, jego skulone ciało na łóżku, jego nieruchomość to były znaki, że można żyć, a jednocześnie tym życiem wprawiać w przerażenie. Myślę, że wychodziliśmy z ulgą, że po prostu uciekaliśmy, by potem przez całą drogę do domu wieść jakąś bezradną, pełną domysłów rozmowę o tym, czy to jest jeszcze Augustyn i czy my jesteśmy dla niego tym, kim zawsze byliśmy. Nic jednak na to nie wskazywało.

Ale po tygodniu czy dwóch powróciliśmy. Chyba wtedy siedział na łóżku. Upłynął czas, więc szukaliśmy zmiany. Wypatrywaliśmy zmian w jego twarzy, w spojrzeniu, w każdym geście. Jego prawa ręka była sparaliżowana. Leżała nieruchomo na udzie. Od czasu do czasu poprawiał ją za pomocą lewej. Przenosił jak przedmiot, gdy się zsuwała.

No ale jednak to był szpital, ostry, aseptyczny zapach, połysk linoleum, lekarze i pielęgniarki na biało, więc odruchowo myślało się o medycynie, o leczeniu, o powrocie do zdrowia. Myślało się linearnie: od punktu „a", w którym się znaleźliśmy, do punktu „b", do którego powinniśmy z nadzieją zdążać. Ten rzeszowski szpital i potem drugi dawały złudzenie tymczasowości, która pozwalała oczekiwać zmian na lepsze, bo przecież najgorsze już się stało. Przecież do szpitala się przychodzi, by potem z niego wyjść. My przyjeżdżaliśmy co kilka tygodni i wypatrywaliśmy dawnego Augustyna. W jego aktualnym ciele chcieliśmy widzieć jego dawną postać. Wyglądaliśmy jej, jakby po prostu miała do nas wyjść gdzieś z głębi tego unieruchomionego i udręczonego ciała. Teraz widzę, jak trudno jest opisać to doświadczenie strasznej obcości i jednocześnie bliskości. Dotykaliśmy go, przytulaliśmy, bo tylko to nam przychodziło do głowy.

Po kilku miesiącach przeniesiono Augustyna do domu opieki społecznej w Dynowie. To był znak, że medycyna zrobiła już swoje i nie należy się spodziewać cudu. W pewien sposób oznaczało to jednak poprawę losu. Dynów był bliżej rodzinnych stron, bliżej Izdebek. W świetlicy siedziały wiejskie kobiety w chustkach. W porównaniu z martwym, obojętnym szpitalem Dynów mógł przypominać nawet coś w rodzaju domu. Wokół była zieleń i pensjonariusze w pogodne dni wygrzewali się na słońcu. Augustyn poruszał się już wtedy na wózku. Znajdowaliśmy sobie jakieś ustronne miejsce i wiedliśmy rozmowy, które w istocie były poszukiwaniem okruchów pamięci albo przypominały amatorskie zajęcia z logopedii. Wyglądało na to, że wszystko, co nam pozostało, to resztki, niewyraźne ślady przeszłości, i tylko one jeszcze łączą nas z Augustynem. Tylko tak mogliśmy wypełnić teraźniejszość – bez ustanku pytając: a pamiętasz to, pamiętasz tamto, pamiętasz, jak byliśmy, pamiętasz, jak pojechaliśmy…

Jednocześnie Augustyn w niemal niezauważalny, powolny sposób zaczynał – trudno znaleźć odpowiednie słowo – odzyskiwać pamięć? odzyskiwać własne życie? myśli? uczucia? pojedyncze słowa? Któregoś dnia siedzieliśmy sobie przy wejściu do kaplicy ośrodka. W kaplicy modliło się kilka kobiet. Augustyn zawsze wyznawał poglądy dość antyklerykalne, a gdy dostrzegał w czyichś oczach potępienie, natychmiast przyznawał się do ideowego komunizmu. Siedząc wtedy pod drzwiami kaplicy, zapytałem go, czy nie wydaje mu się, że samo życie daje mu ostatnio szanse pojednania się z Kościołem, więc może by tak czasem dołączał do rozmodlonych niewiast w chustkach. Popatrzył na mnie z ukosa, podturlał się wózkiem do uchylonych drzwi i sprawną ręką z całej siły je zatrzasnął. A potem powrócił do nas z diabolicznym uśmiechem i bardzo z siebie zadowolony.

To był znak, że choroba i kalectwo oddzieliły go od świata i od nas, ale nie dotknęły jego najgłębszej istoty. Za pomocą gestów umykał nicości. Pielęgniarki mówiły: jest uparty. Tymczasem on po prostu się nie poddawał. Takie miejsca – nawet w mimowolny sposób – ubezwłasnowolniają, wymuszają podporządkowanie, każą zdziecinnieć. Augustyn w swoim życiu i w swoim pisaniu to była rogata dusza. Zawsze robił to, co uważał za słuszne. Teraz jedząc winogrona, strzelał pestkami w przestrzeń pokoju, popatrywał zza okularów i czekał, aż któreś z nas odezwie się jak zwykle: „Guściu, nie śmieć". Potem, gdy już odjeżdżaliśmy, widzieliśmy jego niewyraźną postać w szklanych drzwiach wejściowych. Podjeżdżał wózkiem i czekał, aż znikniemy w perspektywie cichej, parterowej ulicy.

To wszystko zaczęło się gdzieś w połowie lat dziewięćdziesiątych. Przeglądałem dziesiątki maszynopisów przysłanych na coroczny konkurs literacki „Czasu Kultury". No i jak to w takich konkursach: nuda, nuda, rozterki wieku dojrzewania, zły, niesprawiedliwy świat oraz rozdęte ego autora. Ale w pewnym momencie trafiłem na niezwykłe opowiadanie o wiejskim chłopaku i jego wojnie z podwórkowym kogutem. Sam pamiętałem takiego agresywnego kurzego samca z własnego dzieciństwa, więc opowieść mnie natychmiast wciągnęła. Było w niej to wszystko, czym żywi się prawdziwa proza. Szczegół, zmysł obserwacji, lekki dystans do przedmiotu, lekka autoironia, lekkość opisu i przyprawione goryczą ciepło. To opowiadanie po prostu się wyróżniało. Świeciło spokojnym, szlachetnym blaskiem. Dostało jakąś nagrodę. Gdy otwieraliśmy koperty z nazwiskami autorów, ktoś powiedział, że zna Augustyna, że to starszy facet, emerytowany nauczyciel i mieszka w Izdebkach niedaleko Brzozowa. Jakiś czas potem postanowiliśmy go odwiedzić. To nie było daleko, raptem niecałe sto kilometrów, ale zabłądziliśmy. Zaplątaliśmy się w sieć polnych dróg Pogórza. Grzęźliśmy naszym starym maluchem w bagnach, po drodze wysiadły hamulce i dotarliśmy pod wieczór, ubłoceni od stóp do głów. Augustyn przywitał nas jak aniołów z nieba.

Izdebki to było jego królestwo. Chyba nie potrzebował niczego więcej. Przeszłość i teraźniejszość. Miejsca jego prywatnej mitologii, jego prywatne geografie. Izdebki miały historię porównywalną z historią przynajmniej Europy. To było cesarstwo Augustyna i Augustyn w nim niepodzielnie rządził. Jednych skazywał na niebyt, a innych sadzał po swojej prawicy na wieczność. Był wszechwładnym, ale łaskawym panem. Izdebki, Polska gminna, wicepowiatowa, ten fundamentalny składnik ojczystego bytu w jego opowiadaniach zyskał siłę mitu. Czułość, groteska, ostentacyjna lubieżność, plebejska żywotność, siła wszędobylskiej biologii i cudowna niepowtarzalność życia. I śmiech, śmiech jako ostatnia deska ratunku przed nadciągającą nicością.

Tak działała proza Augustyna. Bardzo zresztą podobnie do niego samego. Był jak medium. Wyrastał z Izdebek i jednocześnie był w nich obcy. Nie można bezkarnie opisywać świata.

Po kilkunastu miesiącach wyruszył z Dynowa w dalszą drogę. Jakaś pokutna peregrynacja się z tego robiła. Trochę było żal, bo droga między Domaradzem a Dynowem biegnie wysokimi grzbietami wzgórz i z tej podniebnej szosy roztaczały się jedne z piękniejszych widoków na całym Pogórzu. Można było nią jechać i cieszyć się na spotkanie, a potem wracać i zastanawiać się nad naturą naszych spotkań, nad sensem człowieczej komunikacji i bliskości. Tymczasem teraz trzeba było jeździć do Brzozowa. Brzozów to już powiat obejmujący same Izdebki, więc ta niby pokutna peregrynacja przybliżała Augustyna do domu, od którego oddzielały go teraz tylko masywy Czarnej i Wielkiej Góry. Z kolei my też już się zaczynaliśmy przyzwyczajać, że tak będzie zawsze, że będziemy wyruszać z domu i potem przez Żmigród, Duklę, Rymanów i Trześniów docierać do Brzozowa. W sklepie przy wylotówce na Sanok będziemy kupować białe i czerwone winogrona, które Augustyn pochłania w każdej ilości, głaszcząc się z ukontentowaniem po brzuchu, i potem strzela po kątach pestkami. To wszystko powoli zamieniało się w zwyczajne życie. Liczyliśmy nowe-stare słowa, które przypominał sobie i wypowiadał Augustyn. Przyjeżdżaliśmy i mówiliśmy, co u nas słychać. Czasami Augustyn kiwał głową i wypowiadał pełne akceptacji przeciągłe „nooo". Kiedy indziej, gdy nie potrafił odnaleźć słów dla tego, co chciał wyrazić (a chciał coraz więcej), zaciskał zdrową dłoń w pięść i wyraźnie, dobitnie i bezsilnie mówił „kurwa mać".

Któregoś dnia opowiedzieliśmy mu historię naszego przyjaciela, który dość niespodziewanie zachorował. Choroba należała do tych najcięższych i rokowania nie były najlepsze. Wysłuchał opowieści do końca i potem, gdy zaległa już cisza, powiedział tylko jedno słowo: „Tragedia". Wypowiedział je powoli, spokojnie i jasno. Wokół w pokojach byli ludzie, którzy mieli nigdy nie opuścić tego miejsca. Wielu z nich nie zdawało sobie nawet z tego sprawy. Istnienie niektórych ograniczyło się do kilku powtarzanych w nieskończoność gestów. Wydawało się, że dominującym sensem jest tu fizjologia. Powolne następstwo snu, karmienia, obmywania – czynności, od których wszystko kiedyś się zaczynało. Zapachy pościeli, ciał i jedzenia. Echo głosów w korytarzu, brzęk naczyń i gorące powietrze wypływające z pokojów. I wśród tego Augustyn jedną ręką turlający swój wózek i powtarzający: „Kurwa mać. Tragedia".

Augustyn zmarł w lipcu w domu opieki. Było gorąco. Umarł na serce. W dzień, w swoim pokoju z widokiem na wzgórze i miasteczko. Nie wiem tylko, czy w fotelu, czy w łóżku, leżąc zwinięty na boku, jak miał w zwyczaju. Z biegiem czasu używał nieco większej liczby słów, a jego uśmiech i spojrzenie stały się jaśniejsze. Podczas ostatniej wizyty na widok paczki papierosów, którą przyniósł przyjaciel z dawnych lat, po prostu sięgnął po jednego i zażądał ognia. Niewykluczone, że palił po raz pierwszy od lat. Robił to z przyjemnością, siedząc na łóżku, z bezbłędną gestykulacją, jakby to był pierwszy papieros zapalony po przebudzeniu. I z tym swoim błyskiem w oku, ponieważ doskonale wiedział, że w pokoju palić nie wolno.

Umarł w lipcu i nikogo przy nim nie było. Znalazł go sanitariusz. Pochowaliśmy go na cmentarzu z szerokim widokiem na wschód, gdzie w oddali, wśród zielonych wzgórz, wił się srebrnoniebieski wąż Sanu.

Suka

Nasza stara suka powoli umiera. Najpierw straciła chyba słuch, potem wzrok i na końcu węch. Ale jeszcze trochę się porusza i ma ogromny apetyt. Czasami próbuje na coś szczekać. Ledwo stoi, patrzy przed siebie niewidzącymi oczami i szczeka do swoich psich myśli, urojeń, może szczeka do swojej psiej pamięci. Przeżyła z nami szesnaście lat. Mieliśmy ją od szczeniaka. Któregoś lata przywiozła ją przyjaciółka i zostawiła u nas na wsi. Zaniedbaliśmy wówczas rutynowe szczepienie, które powinno się aplikować szczeniakom, i zachorowała na parwowirozę. Jednak jakoś udało się ją uratować, wożąc co dzień do weterynarza na kroplówki, które ocaliły ją przed śmiercią z odwodnienia. Został jej tylko lekki niedowład tylnych łap. Ale przez piętnaście lat biegała i nadążała za innymi psami. Czasami zimą znikały na dwa, trzy dni. Wściekałem się, ale w końcu odpalałem terenówkę i kopiąc się w śniegu, przepatrywałem bezludne doliny. Znajdowały się. Wycieńczone, wychudzone, ledwo żywe i zdaje się kompletnie bez pomysłu, co zrobić ze swoją psią wolnością i jak wrócić do domu. Potulnie pozwalały załadować się do auta i potem przez tydzień nie ruszały się z miejsc, chyba że do miski.

No ale suka była najstarsza. Wszystkie nasze psy były jej potomkami. Dziećmi, wnukami i prawnukami. Na wsi, w warunkach niemal zupełnej swobody, trudno upilnować. Bardzo sprytne są psy, a w sytuacjach gdy chodzi o zachowanie gatunku, robią się trzy razy sprytniejsze. Wysterylizowaliśmy sukę dopiero po trzecim miocie. Uciążliwa zrobiła się ta prokreacja, bo żyliśmy wtedy w wynajmowanych domach, wśród ciągłych przeprowadzek, czasami we wsiach, gdzie ludzie na widok psa większego od kota, psa, który chodzi luzem, dostawali gęsiej skóry. (Tak, wieś boi się obcych psów, ponieważ obce psy gryzą i nic tej wielowiekowej wiary nie podważy. Wiary skądinąd w owych wsiach uzasadnionej...).

Ale nasza suka była łagodna. Jej wnuki i prawnuki zagryzają czasem owce sąsiadowi. Wtedy klnę pod nosem, ale pokornie biorę pieniądze i płacę za psie rozrywki. Ale ona nigdy nikomu nie zrobiła krzywdy. Raz, wiedziona dalekim echem instynktu, przyniosła szczeniakom podrośniętego kurczaka. Lecz nie zrobiła ptakowi najmniejszej krzywdy. Trzymała go w pysku tak ostrożnie, jakby niosła szczenię. Chyba nawet była zawstydzona tym wybrykiem. Wypuszczony ptak stanął natychmiast na nogi i powrócił do swoich.

Teraz widzę ją, jak leży na werandzie w plamie zimowego słońca. Ma żółtą sierść, trochę ciemniejszy pysk i oklapnięte uszy. Jest kundlem najczystszej krwi. Nie sposób odgadnąć, jakież to rasy musiały się spotkać i pomieszać w przeszłości, by jej trochę komiczna, trochę pokraczna i poczciwa postać pojawiła się w naszym domu szesnaście lat temu. Jednak jej kundle geny miały sporą siłę, bo wnuki i prawnuki przychodziły na świat niemal nieodmiennie w tym samym piaskowożółtym kolorze i z tymi samymi kłapciatymi uszami. Leży teraz w plamie zimowego słońca i niemal nieustannie śpi. Gdy któreś z nas podchodzi bardzo blisko, podnosi łeb. Trudno ocenić, czy nas poznaje. Lecz głaskanie i dotyk wciąż ją cieszą. Tak jak przez całe życie. Ale teraz przypomina stary, strzępiący się dywanik. Chociaż nadchodzi zima, wyłazi z niej futro, gęste, ciasno zbite puchowe podbicie, które sprawiało, że mogła się zwinąć w zaspie i po prostu zasnąć, nakrywając nos ogonem.

Bardzo też wychudła. Kiedy staje, wygląda jak szkielet oblepiony brudnożółtą watą. Ledwo stoi. Chwieje się, zatacza. Potrafi zrobić kilkanaście kroków i zaraz wraca na swoje posłanie. Cuchnie. Zwyczajnie śmierdzi starością. Ciałem, które przestaje się poruszać. W tej woni odkrywam jeszcze jej stary psi zapach, gdy przybiegała z wiatru i deszczu, ale jest go coraz mniej. Próbuje się czasem podrapać, lecz przychodzi jej to z coraz większym trudem. To najbardziej psie zajęcie ze wszystkich psich zajęć też staje się dla niej niedostępne. Łapa nie sięga celu i zawisa w pustce.

Na razie zima jest ciepła i bezśnieżna, więc może mieszkać na werandzie. Gorzej będzie, gdy nadejdą mrozy. Suka po prostu robi pod siebie. Gdy ma lepszy dzień, pokonuje parę metrów, ale często po prostu robi to tuż obok legowiska. Trudno mieć o to do niej pretensje, bo poza ludzkim dotykiem, jedzenie jest jedyną radością, której doświadcza. Je namiętnie i łapczywie i trzeba uważać na zęby, gdy się jej coś podaje. Ale żeby poczuła zapach, trzeba jej podetknąć pod sam nos. Jednak nawet wtedy węszy po omacku, we wszystkie strony, i w końcu trafia jakoś tak przypadkiem. Trudno więc ocenić, czy przy tak szczątkowym węchu ma jeszcze coś w rodzaju smaku. Czy też może tylko się napycha, pochłania, napełnia żołądek wiedziona najpierwotniejszym odruchem. A potem, po paru godzinach, pozbywa się tego tuż obok. Dlatego obawiam się zimy i nadejścia mrozów. Trzeba będzie wziąć ją do domu i trzeba będzie sprzątać każdego poranka i w dzień też, bo nie da żadnego znaku, że chce wyjść. Przestała dawać znaki, tak samo jak straciła umiejętność wychodzenia. Nawet teraz czasami mnie irytuje. Tak jakby starzała się i niedołężniała przeciwko nam, jakby robiła to na złość. Mijam ją kilkanaście razy dziennie, przestępuję przez udręczone ciało i są chwile, gdy czuję ukłucie zniecierpliwienia. Tak jakby razem z jej życiem stygły we mnie dobre uczucia dla niej. Jest w tym jakieś niezależne od woli okrucieństwo. Pochylam się i głaszczę. To, co kiedyś było odruchem, staje się świadomą czynnością.

Piszę o tym wszystkim, ponieważ pierwszy raz oglądam powolną, długą śmierć istoty, z którą przez lata dzieliło się właściwie każdą chwilę. Rozmawiam o tym z ludźmi, którzy mówią, że najrozsądniej byłoby ją uśpić. (Swoją drogą, ciekawy to eufemizm. Nikt nie mówi „zabić". Wszyscy mówią o „uśpieniu", czyli czymś łagodnym i jakby tymczasowym). Wiem, że to rozsądne, że tak się robi i że ci, co to robią, mają poczucie, że ulżyli, skrócili męki i tak naprawdę zachowali się po ludzku. Mnie też przez chwilę przebiegło to przez myśl. Postanowiliśmy jednak, że będzie inaczej.

Piszę ten psi ni to nekrolog, ni to wspomnienie o żyjącym zwierzęciu, ponieważ pierwszy raz w życiu jest mi dane tak długo, systematycznie i dokładnie oglądać, jak żywa istota zamienia się w niedołężniejące ciało, a potem na koniec zamieni się w trupa. Patrzę na sukę i myślę o sobie, ale też o tych wszystkich ludziach wolno wymykających się, wysuwających ze swoich powłok. Tak więc patrząc na sukę, nie mogę uwolnić się od wizji człowieczeństwa w stanie umieralności. Nasz żółty, bezużyteczny (ani nie szczeknie, ani się nie połasi, ani nie zamerda, ani nie ucieszy się na powitanie, ani nie rozweseli) pies zamienia się w rzecz, której trzeba się będzie pozbyć. Tak, niektórzy doradzają, by zrobić to wcześniej, oszczędzając sobie kłopotu, a zwierzęciu udręk. Przecież nic się już nie zmieni, nie cofnie, nie odwróci. Zastrzyk i tyle. Mógłbym to nawet zrobić sam. Kiedy było trzeba, zarzynałem owce i kozy. Jednak z jakiegoś powodu nie mogę uwolnić się od myśli o ludziach leżących w tych wszystkich starannie ukrytych miejscach służących umieraniu. Są bezużyteczni. Pochłaniają

energię, pieniądze, pracę. Wywołują zniecierpliwie-
nie albo obojętność. Wiem, jak to się odbywa, bo wiele razy widziałem: do pokoju wchodzą trzy, cztery
osoby w pielęgniarskich strojach i lateksowych rękawiczkach. Dwie unoszą niemal nieważkie ciało,
reszta w dwie minuty zdejmuje pieluchę, obmywa,
zakłada nową. Po trzech minutach nie widać w ogóle śladów, że coś się działo. Tylko w powietrzu unosi
się dziwny ludzki-nieludzki zapach. A być może po
prostu zapach człowieczy, który nas przeraża, który
nas odstręcza i prześladuje, dlatego zamykamy go
w tych odległych i niewidzialnych miejscach. Płacimy ludziom w lateksowych rękawiczkach, by za nas
wdychali tę woń. Płacimy za to, by towarzyszyli umieraniu. W końcu płacimy im za to, by w jakimś sensie
umierali za nas. Bo przecież uczestnicząc w śmierci
innych ludzi, w śmierci bliskich, sami trochę umieramy, sami stajemy się trochę bardziej śmiertelni. Po
prostu kupujemy kolejną usługę, by nie tracić własnego czasu. Żeby nie wdychać tej woni.

Dziwna jest ta nasza cywilizacja. Ratuje, chroni,
przedłuża nam życie. A jednocześnie czyni nas bez-
bronnymi wobec śmierci. Nie potrafimy się wobec
niej zachować. Moją babkę do trumny myły i ubierały
ciotki i sąsiadki. Mój sąsiad umierał w domu. Córka

zabrała go ze szpitala, ponieważ nie potrafiła sobie wyobrazić, że mógłby umrzeć wśród obcych. Sąsiad umierał długo, więc musiała nauczyć się tych wszystkich szpitalnych czynności, łącznie z podawaniem morfiny. No i sąsiad umarł w swoim pokoju z widokiem na zielone wzgórze, na które spoglądał każdego poranka. Ale moja babka, mój sąsiad to są śmierci niemal utopijne.

Czasami nawiedza mnie wizja miasta, wielkiego miasta, w którym wszyscy umierający pozostają w mieszkaniach. Na wysokich piętrach nowoczesnych wieżowców, na strzeżonych osiedlach, które pustoszeją o poranku, by zaludnić się dopiero wieczorem, odgrodzeni cienkimi ścianami od ulicznego zgiełku, od skłębionego, drapieżnego żywiołu współczesnych metropolii, wśród nigdy niemilknącego skowytu miasta, z poświatą neonów w gasnących źrenicach. Taką mam wizję. Że nie umiera się w szpitalach, hospicjach i domach starców, tylko w domach, w mieszkaniach, które przez większość czasu stoją opustoszałe. Kłopot mamy z posiadaniem i wyprowadzaniem psa, a co dopiero z umierającym. A jak znieść trumnę z ósmego piętra? Wieźć ją windą w pionowej pozycji? A potem? Co z konduktem w miejskim ruchu? W korku do kościoła, do kaplicy i potem na cmentarz? Trąbiąc, migając światłami, żeby reszta żałobników nie zgubiła drogi?

Nawet na wsiach pogrzebowy obyczaj się zmienił. Kiedy chowano moją babkę, kondukt szedł w skwarze z kościoła na cmentarz cztery kilometry, a trumnę niosła na ramionach rodzina. Kiedy w tej samej wsi niedawno chowano mojego wuja, pieszy kondukt dotarł tylko do ostatnich zabudowań, a potem wszyscy poszli pod kościół do zaparkowanych aut, by pojechać w ślad za karawanem.

Jest nas coraz więcej i coraz więcej będzie nas umierać. Coraz bardziej samotnie. Przynajmniej do czasu wynalezienia nieśmiertelności. Ale zdaje się, że nawet ta wynaleziona w przyszłości nieśmiertelność będzie po prostu przedłużającą się w nieskończoność samotnością. Bo o czym w końcu będzie rozmawiać taki nieśmiertelny ze śmiertelnymi, których na nieśmiertelność nie stać?

O takich rzeczach myślę dzięki naszej suce. Dziś zrobiło się chłodniej i zbudowałem na werandzie coś w rodzaju psiej budy. Opatuliłem i wyściełiłem kocami. Zwinęła się w kłębek i śpi. Śpi bez przerwy. Właściwie nic by się nie stało, gdyby zrobić jej ten zastrzyk. Po prostu spałaby dalej. Przestałaby robić pod siebie, przestałaby się przewracać, przestałaby wlec za sobą tylne łapy, przestałaby zjadać własne odchody. Przestałaby cierpieć, a my też byśmy odetchnęli, bo wcale nie jest łatwo patrzeć, jak ktoś (czy pies to ktoś?) zjada własne odchody.

Nic by się nie stało. Człowiek powinien przewidywać zdarzenia i w razie potrzeby wyprzedzać ich bieg. Zdaje się, że dzięki temu znaleźliśmy się tutaj, gdzie dzisiaj jesteśmy. I nic nas nie zatrzyma. Będziemy się pozbywać bezużytecznego życia. Skoro nauczyliśmy się je wydłużać, damy sobie prawo do jego skracania, ponieważ od jakiegoś czasu wydaje się nam, że wszystko jest w naszych rękach. W dawnych czasach, przed epoką humanizmu, śmierć była okrutna, przychodziła jak zwykle za wcześnie, ale życie trwało do swojego końca. Decydował o tym los. Los powoli odchodzi w przeszłość. Nie będzie już losu. Na razie usuwamy go z naszej codziennej przestrzeni do szpitali i umieralni. Potem weźmiemy się za czas. Będziemy decydować, kiedy ma nadejść.

Piszę i wyglądam na werandę. Suka zjadła i znów zwinęła się w kłębek w swojej norze ze śpiworów i koców. Nasz młody bury kot wchodzi tam za nią i zwija się obok w cieple jej stygnącego ciała.

Grochów

(Opowiadanie dla Olka)

Garwolińską do końca i w prawo Makowską wzdłuż torów w stronę Olszynki. Czasami aż do samej lokomotywowni. W ciepłe dni przy ulicy, która przypominała wiejską drogę, siedzieli faceci i popijali. Znad płotów zwieszały się gałęzie owocowych drzew. Jeśli było inaczej, niech ktoś mnie poprawi. Wczesną wiosną snuł się zapach palonych traw pomieszany z wonią kreozotu. Słońce nagrzewało zarośla i podkłady. Tam się kończyło miasto. Dalej było królestwo kolei, chwastów i ogródków działkowych. Wiosną roślinność wybuchała dziko i nagle, pośród kolejowych i przemysłowych wyziewów trwała przez lato i jesień, a potem upadała pod własnym ciężarem. Ostawały się tylko najtrwalsze badyle. Na przykład bieluń albo konopie. Sterczały spod śniegu przez całą zimę, aż na wiosnę przykryła je świeża zieleń.

Tam był koniec. Miasto zatrzymywało się w pół kroku jak nad urwiskiem, jakby traciło oddech albo wpadało w osłupienie na widok tej przestrzeni glinianek, psich wygonów, blaszaków, torowisk i całego tego badziewnego cudu. Wszystko się urywało i zaczynało zupełnie inne. Na Szklanych Domów był ostatni brzeg miasta. Dalej rozlewały się niskie i ciemne wody, na których unosiły się rajskie wyspy, wyspy diabelskie, wraki, oderwane skrawki miejskiego lądu, pokruszona i przemieszana kra industrialu i rekreacji. Faceci przy Makowskiej mieli podciągnięte nogawki. Ich piszczele bielały w słońcu. Był koniec kwietnia. Płatki jabłoni i wiśni sypały się na ich ramiona. Byli klasą pracującą. Patrzyli na północ, na przeciwległy skraj kolejowej niecki, gdzie nasyp wznosił się wyżej i pełznące pociągi w złotym świetle wiosny stawały się bliskie i wyraziste niczym te dziecinne. Niektóre jechały prosto do światowej stolicy proletariatu. Część miasta po tamtej stronie nazywała się Utrata.

I tak było w istocie. Przychodziliśmy tam, żeby sycić własną melancholię. Żeby pielęgnować w sobie nieokreślone poczucie straty. Przynajmniej niektórzy z nas. A w każdym razie ja. Makowska przypominała brzeg morza. Wystarczyło wyjść i wyobrazić sobie, co jest za horyzontem. Zwłaszcza wczesną wiosną, gdy nad rudymi wyległymi trawami drżało rozgrzane powietrze. Ale tak zawsze jest w miejscach, gdzie przebiegają tory kolejowe. Nie można oderwać wzroku od dwu biegnących w nieskończoność srebrnych nitek. Są namagnesowane i nasza tęsknota niczym żelazny okruszek biegnie za nimi na koniec świata.

Niewykluczone, że tamci z flaszkami piwa Królewskiego, z flaszkami wina *nomen omen* Kwiat Jabłoni, z flaszkami wódki Stołowej również wpatrywali się w głąb nieskończoności. Siedzieli na brzegu własnego życia i patrzyli w dal. Jednak nie przychodziło im do głowy, żeby wstać i wyruszyć. Byli zbyt dorośli, zbyt męscy i zbyt proletariaccy. Podnosili się o zmierzchu i wracali w głąb osiedla. W czteropiętrowych blokach z szarej cegły nie było wind, więc szli po schodach przez wszystkie człowiecze zapachy. Ta nieokreślona, ale silna woń zjawiała się zaraz za drzwiami klatki. Tysięczne tanie obiady, kapusta, mielone, pomidorowa, buty pozostawiane pod drzwiami, rozgrzany kurz na żarówkach, ostra nuta płonącego gazu, sprężona, skompresowana aura ciasnych mieszkań szczelnie wypełnionych dobytkiem. Tak pachniało życie ludzi, którzy dzień i noc przebywają razem.

Kiedy wsuwali cię do pieca, wiedziałem już, że będę chciał to wszystko opisać. Ponieważ nie mogłem zrobić nic innego. Ten piec, to wnętrze, ten wózek przypominały fabrykę naszych ojców. I potem naszą. To wszystko działo się za szybą, ale czułem zapach rozgrzanych stalowych strużyn, zapach iskier tryskających spod korundowych tarcz, zapach oleju, woń tych wszystkich wydziałów, kuźni, hartowni, tłoczni. Chociaż wszystko działo się za szybą. Gdy ruszyły dmuchawy, które miały rozpalić płomień do tysiąca stopni, zrobiło się jak w hucie. Nawet zielone kafle na ścianach przypominały szatnię z tymi okropnymi metalowymi szafkami, w których robocze ubrania zawsze przechodziły oleistą wilgocią. Nie znosiłem tego momentu, gdy tuż przed szóstą trzeba było się przebierać w granatowy drelich. Był ciężki od fabrycznego powietrza. Ciężki i zimny. Prawie jak z metalu. Właściwie to nie ubierałem się w niego, tylko wsuwałem z odrazą. Musiały minąć minuty, nim przeszedł ciepłem ciała. Tłustawy dotyk wnętrza kieszeni. Opiłki metalu. Teraz przypominam sobie, że materiał nie był granatowy, ale szary. Szary jak to wszystko wokół, z zielonkawymi korpusami radzieckich maszyn, zasmolonym szkłem okien i podłogą z drewnianej kostki, czarnej od smaru i brudu. Niezależnie od pory dnia i roku te wszystkie hale, te wydziały wypełniał zimowy świt. Nawet gdy było gorąco. Na przykład w kuźni obok elektrycznych pieców. Albo w hartowni, gdzie jasnopomarańczowy metal zanurzał się w olejowej kąpieli. Tam też zalegało zimne, szare światło. To było życie naszych ojców. A my mieliśmy je powtórzyć, ponieważ czekało na nas już gotowe i nic innego nie trzeba było robić. Z przystanku, rano, z tłumem mężczyzn przez główną bramę wchodziłem do fabryki jak do wnętrza własnego losu. Tak to można ująć, chociaż wtedy ani ty, ani ja nie wiedzieliśmy, co to los. *Simple twist of fate...* Ale dotyk drelichu był jak dotyk wnętrza cudzej, zimnej skóry. Mężczyźni na Makowskiej przypominali naszych ojców, ale nigdy nie przyszło nam do głowy, by zasiąść obok nich. Szliśmy dalej, poza zasięg ich wzroku. Przez torowiska, zagajniki, przez kolejne nasypy, by patrzeć na pociągi odjeżdżające w głąb pejzażu, na Wschodni, na Centralny albo do Władywostoku. Ponieważ od początku było postanowione, że zdradzimy swoich ojców. Ponieważ chcieliśmy odejść jak najdalej. Ponieważ nie chcieliśmy wstawać przed świtem. Ponieważ wydawało nam się, że tak wygląda wolność. Ponieważ byliśmy zdrajcami.

Któregoś dnia – jesienią albo wiosną (chociaż wolałbym, żeby to była jesień...) – przeszliśmy kilka nasypów i bocznic między Kozią Górką a Utratą. Wśród śmietnisk znaleźliśmy przerdzewiały kocioł do gotowania bielizny. Nazbieraliśmy patyków, suchych zielsk i badyli i rozpaliliśmy w nim ogień. Dzień już się kończył. W oddali, za rzeką, na tle zachodzącego słońca czerniało Śródmieście. Kilka wieżowców, Pałac Kultury, trochę jak za granicą. Ale wówczas każde spojrzenie sięgało innych krain. Patrzyliśmy w głąb pejzażu i już tam byliśmy. Musisz wybaczyć to „my". Trochę nie mam wyjścia. Pamiętam, że robiło się ciemniej i chłodniej. Łamałem patyki i dorzucałem do ognia. Płonął pomarańczowo, a wokół gęstniał mrok. Stara trawa, znękana dudnieniem pociągów i kreozotem ziemia, Utrata. I tylko ten płomień na brzegu ciemności, na brzegu nocy. Nasze sylwetki, gdy siedzieliśmy bez ruchu, musiały być ledwo widoczne. Gdzie wówczas byliśmy? Oczywiście, że nie pamiętam, ale na pewno nie tam. Na pewno wyruszaliśmy w kolejną podróż, by wymknąć się losowi, by go przechytrzyć. Po prostu wyobrażaliśmy sobie różne rzeczy, by wziąć w nich udział. Splatały się z rzeczywistością tak mocno, że potem, z oddalenia, wszystko było prawdą, wszystko weszło w nasze ciała jak powietrze, jak jedzenie i pozostało do końca, stwardniało w kościach, krążyło we krwi.

Czasami włączam komputer i znajduję mapę tamtych stron. Klikam „satelita" i patrzę z wysokości. Wszystko widać i prawie wszystko jest jak wtedy. Przybyły tylko te trzy bloki dla bezdomnych na wygwizdowie przy Dudziarskiej. Patrzę z wysokości na ciemną zieleń i szare kreski dróg. Schodzę coraz niżej i wypatruję pomarańczowego płomienia. Ale on się nie zjawia, chociaż jestem pewien, że tam jest, że tli się w ciemności, pełga pod powierzchnią czasu, i trzeba tylko pamiętać, by od czasu do czasu dorzucić suchych traw, trochę drewna.

Nie wiadomo, jak to się dzieje. Czy to jest chwila, czy trwa jakiś czas? Czy kiedy już wiesz, to jest tak, jakby już było? Powinienem o to wszystko zapytać. Tamtego dnia, gdy wyjechaliśmy o świcie. Coraz dalej na południe i robiło się coraz cieplej. Budapeszt nie miał jeszcze skończonej obwodnicy, więc znowu to błądzenie, to kombinowanie, żeby nie zniosło i żeby trafić od razu na Petőfi híd, potem wzdłuż rzeki do Érdu, kawałek M0, by wreszcie wydostać się na M7. Udało się. Nie było jeszcze południa. Wyprzedziła nas dziewczyna małym autem. Było widać, że szczęśliwa śpiewa na cały głos. Około trzeciej wjechaliśmy do Lublany. W Rožnej Dolinie odnaleźliśmy dom rodziców Maszy. Wypiliśmy kawę, dostaliśmy klucze i pojechaliśmy dalej. Jeszcze jakieś sto kilometrów i potem ziemia zaczyna opadać do morza, staje się wapienna i sucha. Zjawiają się te wszystkie rośliny, których u nas nie ma. Cyprysy, ligustr i laur. W Koprze cumowały białe statki. W Portorožu przy promenadzie rosły palmy. Była Wielka Sobota. Jechaliśmy do Piranu. Przed trzydziestu laty paliliśmy ogień na Utracie i wydawało nam się, że jesteśmy bohaterami opowieści, która nigdy się nie skończy. Że to jest jak płyta, jak kolejne piosenki, które można puszczać w nieskończoność. A gdy się znudzą, wystarczy sięgnąć po następny krążek. Teraz siedział obok i miał zmęczoną twarz. Gdzieś przed Budapesztem powiedział, że już wie, że mu powiedzieli, że są jakieś szanse, ale, i tak dalej. To musiało być gdzieś przed Gödöllő, bo zaraz w dole i w oddali zobaczyliśmy wielkie miasto. Lecz tylko słuchałem, zostawiając go z tą wiedzą sam na sam.

W Piranie było pustawo, chłodno i jasno. Dom Maszy stał na samym nabrzeżu. Wychodziło się i już był Adriatyk. Piętnaście, dwadzieścia kroków i fale uderzały o kamienne nabrzeże. Poszedłem do sklepu i przyniosłem ser, chleb, oliwki, olej z pestek dyni, pršut i wino. Czarnogórskiego vranaca i ciemnego, cierpkiego terana ze słoweńskiego Krasu. Chciałem umiarkowanie popijać, spacerować, patrzeć na ciemnobłękitny horyzont, białe mury z czasów Republiki Weneckiej i lwy świętego Marka tu i tam wykute w kamieniu. Tak sobie wyobrażałem te dwa, trzy dni z dala od domu, od naszych wyrozumiałych żon, dzieci i świątecznego rozgardiaszu. Trzydzieści lat po tym, jak wśród grochowskich torowisk mieliśmy wizję, że życie nigdy nas nie zdradzi, nie wystrychnie i że wszystko, czego będzie od nas oczekiwać, to absolutna zgoda na to, co przyniesie.

A my, że oczywiście, że tak, ponieważ czuliśmy się częścią świata i częścią opowieści, którą sami snuliśmy. I wydawało mi się, że to jest tak, jakbyśmy do tego Piranu przyjechali prosto z tamtego Grochowa, tylko teraz mamy porządną furę, trochę pieniędzy, nie ma granic, a jedyną prawdziwą różnicą jest to, że musimy wrócić za te dwa, trzy dni, jak obiecaliśmy. A nie tak jak wtedy, gdy wymykaliśmy się z naszych proletariackich domów, by przemierzać kraj autostopem, bez grosza, bez snu i bez jedzenia. Ledwo żywi od kaca po tanim winie. Poza czasem, którego bieg dostrzegaliśmy dopiero wtedy, gdy robiło się zbyt chłodno, by zasypiać pod gołym niebem albo na wiejskich autobusowych przystankach. Któregoś dnia obudziły nas dzieci ubrane w białe koszule. Był początek roku szkolnego. No więc myślałem, że jesteśmy tylko trochę starsi i ten Piran to jest dalszy ciąg naszego życia, i że wszystko jest podobnie, tyle że już nie stoimy i nie machamy, tylko zabieramy innych. Podlasko-grochowskie chłopaki z wiejsko-przedmiejskiej krainy badziewnych cudów przeniesione w czasie i przestrzeni do Śródziemnomorza. Z opłotków ruskiego wschodu w złoty cień Wenecji, której światła w pogodne noce ponoć było widać z Piranu. Tak myślałem. Że pójdziemy chodzić, by smakować dziwność oraz ironię bytu. Ale nie chciał. Coś zjedliśmy, napił się wina i powiedział, że jest zmęczony. Poszedłem sam. Okrążyłem cypel z latarnią i wśród chłodnego labiryntu zaułków i schodów odnalazłem drogę do Świętego Jerzego. Miasto było piękne i obce. Nic mnie z nim nie łączyło poza faktem, że byłem tutaj trzy albo cztery razy. Przechadzałem się i nic nie czułem. Po prostu podobało mi się z tą wonią drzewnego dymu, kotami na czerwonych dachach i łodziami cuchnącymi rybą. U Świętego Jerzego było jednak zbyt wielu ludzi. Przychodzili popatrzeć z wysokiego urwiska w morze. Poszedłem szukać spokojniejszych miejsc. Kościoły były pozamykane. Do środka można było zajrzeć przez ażurowe kraty. W jednym i drugim rozbrzmiewała religijna muzyka z odtwarzaczy stojących wprost na posadzkach. Gdzieś, może u Matki Boskiej Śnieżnej, widziałem starą zakonnicę, jak poprawiała kwiaty w wazonie, całą w szarosrebrnym świetle padającym z wysokiego okna, nierzeczywistą. Chciałem, żeby to wszystko zobaczył, ale on został sam w kamiennym domu przy nabrzeżu. Może spał, a może patrzył przez okno na południowy zachód, na migotliwy połysk spokojnych wód. Sam na sam z tą wiedzą, której nie chciałem dzielić.

To znaczy słuchałem, ale nie zachęcałem go, by mówił więcej. Zresztą nigdy nie opowiadał o sobie, a w każdym razie nigdy skwapliwie.

Trudno powiedzieć, kiedy do nas dociera, że to się stanie. Może nie dociera, dopóki nie nadejdzie? Może nawet teraz, gdy już wiem, że to jest, że przyjdzie do każdego, to i tak na razie oglądam się na innych? Odganiam, opędzam się, umykam? Tak jak wtedy gdzieś koło Gödöllő, gdy powiedział, że za jakiś czas najprawdopodobniej umrze, a ja nie podjąłem tematu. A w każdym razie nie wprost. Bo ani razu nie powiedziałem „śmierć", ani nie powiedziałem „umrzeć". Może on też nie użył tych słów, ale przecież nie musiał, bo już po prostu wiedział. Mówiliśmy o technice, o medycynie, procedurach, próbując za pomocą tych martwych i konkretnych pojęć rozproszyć strach i mrok. Ale ani razu nie wypowiedzieliśmy słowa „śmierć". Budapeszt przybliżał się, ruch gęstniał, a ja powtarzałem w myślach trasę. Korzystając z kończącej się autostrady, wyprzedzałem jeszcze, co się dało, i kątem oka zerkałem na jego zmęczoną twarz. Więc to był on. Ten z dzisiaj, ten sprzed pięciu lat, dziesięciu i ten z tamtych dni, których nikt prócz nas nie pamięta. Był zmęczony, trochę poszarzały i schudł, ale się nie zmienił. Gdzieś pod tą skórą była tamta twarz i tamto życie sprzed dziesięciu lat, sprzed piętnastu, dwudziestu, wciąż, dzień za dniem, kolejno, godzina za godziną, minuta za minutą życie żywiące się naszymi ciałami. Popatrywałem z ukosa i wydawało mi się, że jest go ciut mniej. Dziwne uczucie. Ale nie że się zmniejszył, tylko że zrobił się trochę pusty w środku, jakby się zwalniało miejsce na to, co ma przyjść, na to, co wejdzie w jego powłokę, wejdzie w to wszystko, czym był wcześniej. Tak myślałem.

Przez Tartinijev trg wróciłem na nabrzeże. W porcie przylegającym do placu cumowały białe łodzie. Wiele lat temu wczesnym rankiem widziałem tutaj kota, który odpędził psa od swojej zdobyczy: rybich wnętrzności. Widziałem też faceta w kapciach, który złapał rybę na wędkę, ogłuszył o kamień i poszedł z powrotem do domu, by przyrządzić sobie śniadanie. Teraz skręciłem w prawo, w stronę otwartego morza, bo chciałem czuć zapach chłodnego, jasnego wiatru. Wyobrażałem sobie, że wieje gdzieś znad gór Atlas, przekracza Pireneje i stygnie dopiero tutaj, nad Piranem, w przeddzień Wielkanocy. Gdy wróciłem, spał w maleńkiej sypialni na piętrze. Z butelek ubyło vranaca i terana. Trochę posprzątałem, trochę byłem zły, bo przecież nie przejechaliśmy tysiąca kilometrów, żeby spać. Usiadłem i czekałem, aż zacznie się wieczór, on może wstanie i jednak wyjdziemy gdzieś razem. Mogłem podejrzewać, że po prostu nie ma sił, by bez przerwy myśleć, i we śnie szuka schronienia. Ale tylko siedziałem w posprzątanej kuchni i czekałem.

Co się dzieje z czasem, który minął? Dokąd odchodzą zdarzenia, które były naszym udziałem? Gdzie na przykład jest dzisiaj ten letni dzień, gdy wsiadaliśmy w Zagórzu do pociągu po dwudziestogodzinnej jeździe stopem przez cały kraj, gdzieś znad morza? Stawaliśmy pewnie tu i tam, żeby zawinąć się w koc i zdrzemnąć. Albo wejść do smętnego baru przy drodze na piwo bez piany, a miejscowi natychmiast milkli na nasz widok. Lipiec, może sierpień. Pociąg jechał do Łupkowa. Stare trzy albo cztery zielone wagony i parowa lokomotywa. Siedzieliśmy na samym końcu składu, na stopniach ostatniego wagonu. Paliliśmy papierosy. Ich zapach mieszał się z zapachem dymu z lokomotywy i upałem. Siedemdziesiąty siódmy albo siedemdziesiąty ósmy. Byliśmy wolni. Tak nam się wydawało. To zresztą bez różnicy. Mieliśmy namiot. Płócienny, ciężki i spłowiały. Pewnie jakieś worki, bo z niejasnych przyczyn gardziliśmy plecakami. Może dlatego, że wszyscy chodzili z plecakami? I jeszcze gitarę. Rosyjskie siedmiostrunowe pudło z dziwnie wysokim gryfem. Grał na niej, gdy tylko gdzieś przysiedliśmy. Amerykańską muzykę na rosyjskiej, czyli radzieckiej gitarze. Ale ta amerykańska muzyka była lewicowa, więc w jakiś surrealistyczny sposób pasowała do gitary. Woody Guthrie, Seeger, wczesny Dylan. Byliśmy z robotniczych rodzin i zarazem trochę ze wsi i rzeczy oraz zdarzenia odnajdywały swoje ukryte sensy. Urodziliśmy się w cieniu sowieckiej Rosji, lecz nasza wyobraźnia żywiła się lewicową i ludową Ameryką. Pociąg był pusty. Wypełniała go woń czarnego tytoniu, starych szczyn i kurzu. To była woń wolności. Wysiedliśmy w Komańczy i poszliśmy na dziki biwak zaraz przy szosie. Było pusto i sennie. Brzdąkał na gitarze, a ja rozbijałem namiot. Miał dziurę. Kiedyś musiał być pomarańczowy. Następnego dnia mieliśmy pójść w góry. Po prostu iść na wschód. Właściwie nic ze sobą nie mieliśmy. Poszedłem do sklepu i kupiłem kuchenny nóż z żółtą plastikową rączką. I chleb, bo byliśmy głodni, i krajowe wino, ponieważ wciąż chciało nam się pić. Rozpaliliśmy ogień. Nikogo prócz nas nie było. Trochę śmieci i dwa, trzy prostokąty wygniecionej trawy – pamiątki po obozowiczach. Czasami szosą przejeżdżało auto, zostawiając za sobą smugę benzynowego zapachu, który mieszał się z wonią skoszonego siana snującą się od wsi. Więc był to pewnie lipiec. Po południu przyszło dwóch mężczyzn. Byli śniadzi, żylaści i niewysocy. Tatuaże ledwo przeświecały przez brązową skórę. Mieli torbę pełną flaszek wódki. Przysiedli się, bo zwabiła ich gitara. Byli dzicy i budzili lęk. Tak nam się wydawało. Nie do końca rozumieliśmy, co mówią. Rano wyszli z więzienia w Łupkowie. Nalewali wódkę i wciąż chcieli słuchać *The House of the Rising Sun*. To znaczy *Domu wschodzącego słońca*. „W więziennym szpitalu na zgniłym posłaniu nieznany młodzieniec umiera". Musiał to w kółko grać. Nie chcieli słuchać niczego innego. Ani *Midnight Special*, ani *Worried Man Blues*, ani *Take This Hammer*, chociaż to było tak samo o nich jak „na zgniłym posłaniu", a może jeszcze bardziej, bo więzienie Łupków to była wtedy praca w kamieniołomach, więc czysty romantyzm katorgi, pieśni pracy i miarowe uderzenia młotów. Ale wtedy uszło to naszej uwadze i trochę się ich baliśmy, chociaż chcieli tylko słuchać i częstować nas wódką. Byliśmy pięknoduchami i wydawało nam się, że wyklęty lud ziemi jest czarny i żyje tylko w Ameryce, i tam układa swoje pieśni. A tymczasem siedział przed nami, na gołej ziemi, spalony na brąz i żylasty od kamieniołomu. Potem zasnęliśmy, by zbudzić się tuż przed nocą, przy wygasłym ognisku, mokrzy od rosy. Ich już nie było. Ruszyli dalej w głąb tego dziwnego kraju, gdzie wszyscy wtedy czuli się trochę jak przestępcy. My też. W pociągu, na szosie, zbaczając z utartych dróg, czuliśmy się jak banici, jak wyjęci spod prawa. Ponieważ chcieliśmy się wymknąć losowi, który czekał gotów, i ponieważ byliśmy zdrajcami. Wczołgaliśmy się do namiotu i spaliśmy do rana. Na śniadanie zjedliśmy chleb i drogą przez wieś doszliśmy nad Osławę, i potem w górę biegu torami kolejki wąskotorowej. W plamach cienia srebrzyła się rosa. Od rzeki ciągnął ciężki, pachnący chłód. Nie znaliśmy drogi. Chcieliśmy po prostu jak najgłębiej wejść w góry, aż znajdziemy się po drugiej ich stronie. Nie znaliśmy nazw, nie mieliśmy mapy. Chyba nawet gardziliśmy trochę tymi wszystkimi, co mieli plecaki, ciężkie buty, mapy, zapasy, jakąś wiedzę. W zakolu rzeki, w środku nurtu na kamieniu stał nagi mężczyzna. Był odwrócony do nas plecami. Mył się, polewając z jakiegoś naczynia. Wokół był tylko las. Nie widzieliśmy ani ubrania, ani bagażu. Jakby wyszedł z gęstwiny. Ten obraz zapamiętałem na zawsze i wydaje mi się, że w pewien sposób miał wpływ na moje życie. Po południu spadł wielki deszcz, a my zabłądziliśmy gdzieś na stokach Chryszczatej. Zastała nas ciemność. Nie mieliśmy nic nieprzemakalnego. W końcu zobaczyliśmy światło, pojedynczą żarówkę nad drzwiami. To była kwatera robotników leśnych. Już spali. Nam też kazali się kłaść do wolnych barłogów. Były suche, ciepłe, pachniały żywicą, benzyną i człowiekiem. Gdy się zbudziliśmy, reszta prycz była pusta. Przez okno nisko i ukośnie wpadały promienie słońca i całe wnętrze wyglądało jak ze złota.

Zbudził się wieczorem i powiedziałem, że powinniśmy gdzieś pójść, coś zjeść, odetchnąć. Powiedział, że dobrze. Wyszliśmy w półmrok i wilgoć wąskich uliczek. Jak zawsze pachniało kocimi sikami, rybami, starością. Wiatr od morza nie docierał do wnętrza miasta. Chciałem mu wszystko pokazać. Fale rozhuśtały się i w kamiennych płytach nabrzeża odbijały się żółte światła. Ale szedł jakoś tak krucho, niepewnie, jakby bokiem. Środkiem, ale pod ścianą. Był trochę jak cień. Jakby nie był z ciała. Coś mówiłem, ale to znikało. Słyszał, ale nie słuchał. Szedł obok, ale już było inaczej niż zawsze, gdy się poruszaliśmy prawie jak bliźniacy. Powiedziałem: chodźmy do Delfina.

Odpowiedział, że tak, ale gdzieś z dali, z wnętrza, z głębi głowy. Delfin zaraz przy placu 1 Maja był w porządku. Przychodzili miejscowi. Pięćdziesięcioletnie pary wyglądające jak kochankowie na pierwszej randce. Ciasno, duszno, smażenina, rybackomorskie duperele na ścianach. Nie pamiętam, co wzięliśmy. Może kalmary, na pewno rybę, sałatę i prawie na pewno malwazję, czyli miejscowe białe. Mówiłem i mówiłem, siedząc za tym stolikiem w rogu po prawej. Jakbym chciał zagadać. No bo się okazywało, że się wszystko zmieniło. Że się rozchodzimy, chociaż nie ma w tym ani jego, ani mojej winy. Że życie pierwszy raz w życiu nas wystrychnęło. Tak. Że on już myśli śmierć, a ja, spryciarz, jeszcze nie. Siedzieliśmy w kącie. Światło było żółte. I ci miejscowi w starych garniturach, w sukniach jak na sylwestra. Popatrywali na nas. Obaj gadaliśmy głupio. Próbując się wymknąć. Chłopaki z Grochowa raptem przez kaprys w Śródziemnomorzu. Stara słoma z butów, z której dopiero z wiekiem nauczyliśmy się być dumni. Ryba w panierce, może kalmary, naprawdę nie pamiętam. Na pewno białe wino. Na pewno więcej niżby nakazywał rozsądek. Był blady i żółty jak to światło. Na tle ściany w rogu. Jak zagoniony. Jakby przejechał tysiąc kilometrów, by się schronić. Patrzyłem na niego w restauracji Delfin w mieście Piran i widziałem, że stał się kruchy i przypomina ptaka, który stracił siły. W mieście Piran, po włosku Pirano.

Teraz sięgam pamięcią najdalej: ma na sobie brązową zamszową kurtkę. Wchodzi do klasy zwabiony dźwiękiem bębnów. Próbuję nieudolnie wystukać jakiś rytm. Pierwszy raz siedzę za prawdziwym zestawem. Wchodzi, już od drzwi się uśmiecha, jakby odnalazł brakujący element układanki. Po pięciu minutach wychodzimy, by przez najbliższe lata się nie rozstawać. Wydeptywać przejścia w ciemnym mieście. Ścieżki wśród zarośli w poszukiwaniu samosiejek marihuany. W poszukiwaniu zdarzeń, na które czailiśmy się w zasadzkach wykradzionych dni. Grochów, najpierw Grochów. Żerań. Tramwajowa linia 21: kręgosłup proletariackiej Pragi. Faceci w Zagłobie, faceci w Grochowskim, faceci w Oazie, niczym cienie naszych ojców. Jakbyśmy toczyli jakąś grę. Wchodziliśmy między nich, zamawialiśmy piwo, stawaliśmy obok, a oni nie mogli nas rozpoznać. Wychodziliśmy. Wciąż w ruchu, w marszu, w głąb mroku tego miasta, z echem tłuczonego szkła nocą, okrzykami ni to ludzi, ni to już zwierząt, jak w chłodnej dżungli, która jesienią pachniała palonymi liśćmi. Jak w labiryncie, którego kształty i wielkość trudno było odgadnąć. Kobielska, Podskarbińska, Grenadierów, Dzikie Pola, z tym uczuciem, że ciepła i miękka przestrzeń rozstępuje się pod naciskiem ciał i można tak iść aż do samego jej końca, który nigdy nie nastąpi, bo idziemy przez nieskończoność. A potem miał czarną motocyklówę z ukośnym suwakiem, której mu zazdrościłem. Był niższy, trochę drobniejszy i wyglądałem w niej jak pajac. Tak. Coś dzieje się z czasem. Coraz bardziej. Tamte zdarzenia są tak wyraziste jak te ostatnie. Przebijają, przeświecają. I teraz, gdy o nich myślę, to wszystko dzieje się równocześnie. Tamte wypływają na powierzchnię, ciemna toń się rozstępuje i już są. Nic nigdy nie przepadło? I teraz powraca? Szaserów i potem Wiatraczną do samego końca? Aż za tory?

Więc jak to jest, że to wszystko trwa, a my zostajemy coraz bardziej sami? Jak on z każdym dniem. Tak myślę, bo przecież trudno jest z kimś dzielić powolną śmierć. Zwłaszcza z kimś, z kim się tylko żyło. Przez następny rok dzwoniłem do niego częściej niż zwykle. Ale tylko wtedy, gdy jechałem gdzieś przez kraj. W trasach po pięć, po sześć dni. Przez obce strony, przez Śląsk, przez Wielkopolskę, gdzie nigdy razem nie byliśmy. Mówiłem mu, co widzę, opowiadałem. Że brudno, że spękany asfalt i wszyscy jadą jak idioci. Próbowałem rozbawić. Ale zawsze w drodze. Żeby nie było tak, że siedzimy gdzieś obaj, na dwóch końcach tego połączenia, nieruchomi, zdani jedynie na własne myśli, na tę pustkę w głowach, w sercach, w duszy, na której dnie czai się nienazywalne. Nie chciałem czuć tego strachu. Więc trajkotałem w dudniącą próżnię kabiny. Że jadę, że wciąż przecież można jechać, że mijają kilometry, że pada szary śnieg i robi się ślisko i ciemno gdzieś pod Lubinem, syf późnej jesieni, gdy po pięciu godzinach jazdy w głąb wiecznego zmierzchu zwyczajnie się ślepnie. Mówiłem, żeby mógł sobie wyobrazić tę jazdę, to przemieszczanie, ten ślizg przestrzeni na skórze, który tak lubiliśmy i bez którego nie potrafiliśmy żyć. Dzieciaki biednego Grochowa, synowie tego ciasnego kraju, z którego nie było wyjścia ani ucieczki, bo z jednej strony Ruskie, a z drugiej Niemcy, i jak ćmy wirowaliśmy wokół światła wydzielanego przez nasze głowy, serca i dusze. Po prostu jeździliśmy w kółko, unieważniając i Ruskich, i Niemców, i biedny Grochów, błąkaliśmy się w złotej mgle, zaplątani w świetlistą przędzę własnych umysłów. Wcale się tego nie wstydzę. To mu chciałem powiedzieć, jadąc przez wirujący śnieg, przez czarne światło, przez brudny blask kraju, który odzyskał wolność. Tak mówiłem w kółko, żeby go rozerwać albo rozbawić. Ale najbardziej po to, by nie dać mu dojść do głosu, ponieważ jestem tchórzem.

W niedzielę wielkanocną widzieliśmy z okna, jak płetwonurkowie w czarnych skafandrach schodzą z nabrzeża do wody. Trzech albo czterech płetwonurków o dziesiątej rano. Było szaro. Długo leżeliśmy w łóżkach. Nie chciało nam się rozmawiać. Mieliśmy kaca po białym w Delfinie i po czerwonym, gdy wróciliśmy. Jakoś się pozbierałem i poszedłem pochodzić. Zimna, wilgotna Wielkanoc z metalicznym posmakiem w ustach. Właściwie nie trzeba było jechać tak daleko. Można to było odbyć stacjonarnie. Co najwyżej bez płetwonurków. Snułem się. Nie przychodziło mi do głowy żadne zmartwychwstanie ciał, żadne wskrzeszenie z martwych. Martwiłem się jedynie tym, byśmy nie ugrzęźli w jakiejś trzydniówce, bo nazajutrz trzeba było znowu jechać tysiąc kilometrów. Nie byliśmy już tacy jak kiedyś. Przed rokiem czy półtora wracaliśmy z Węgier. Zrobiła się noc i moja zmiana za kierownicą. Miałem już jechać do samego domu.

Stanęliśmy na stacji. Chciał sobie kupić palinkę. Wrócił po paru minutach i zapytał, czy mogę mu pożyczyć swoje okulary do czytania. „Nie mogę na półce odróżnić butelki oleju od flaszki wódki", powiedział. No więc nie byliśmy tacy jak kiedyś, z tym wiecznym poszukiwaniem w kieszeniach a to tego, a to tamtego, portfeli, kluczyków, telefonów, okularów właśnie. Klepanie, obmacywanie i rezygnacja. Zrobiło się tego za dużo, a nas jakby mniej. Ale wciąż się wypuszczaliśmy w te jazdy pozornie bez celu, w kółko, przez trzy, cztery kraje. W poszukiwaniu cieni, w poszukiwaniu minionego albo po to, by kusić teraźniejsze i przyszłe. Albo po to, by rozmawiać bez konieczności siedzenia naprzeciwko, patrzenia na siebie i chwil ciszy, gdy słyszy się własny oddech. Dwa, trzy razy do roku kręćba kilometrów, krajobrazów i płyt w odtwarzaczu. I teraz znowu kolejny tysiąc. Ale w ciszy, bo nie mieliśmy sił ani ochoty rozmawiać.

Gdy po godzinie czy dwóch wróciłem, on wybrał się na obchód. „To pójdę", powiedział. Zrobił to niechętnie, ciężkim krokiem. Miał szarą twarz w tym wielkanocnym świetle i od wina, które pił powoli, ale wciąż, a które jednak ani na chwilę nie wprawiało go w podniecenie. Raczej sprawiało mu ból, osiadając w żyłach i przypalając nerwy. Jezu, jakby ci wstrzykiwali formalinę, pomyślałem. Zamknął za sobą wąskie, oszklone drzwi i poszedł oglądać miasto, które było mu obojętne. Tak samo jak mnie, ale ja chociaż pamiętałem pierwszy pobyt i coś w rodzaju zachwytu, ponieważ nic mnie nie oddzielało od zastanego widoku. Widziałem, jak idzie z pochyloną głową, jakby szedł pod wiatr. W głąb krajobrazu, jakby czym prędzej chciał go pokonać, przedostać się na drugą stronę, na wskroś tej zimnej Wielkanocy.

Gdzie chciałeś wtedy być? Dokąd szedłeś? Garwolińską do końca i w prawo Makowską wzdłuż torów w stronę Olszynki? Czy gdy chcemy się wymknąć, to zawsze wracamy? Zwijamy się jak embrion? Żeby nas było jak najmniej i żeby nie zajmować miejsca, nie stawiać oporu nicości? Nie wiem.

Teraz przypominam sobie, że pierwszą zapamiętaną nazwą z dziedziny topografii był plac Szembeka. Mieszkaliśmy przy Grochowskiej parę numerów od placu w stronę Wiatracznej. W jednym pokoju z węglową kuchnią w rogu, po lewej od drzwi wejściowych. Na parterze. Jedyne okno wychodziło na podwórko. Przesiadywałem w nim godzinami i patrzyłem na życie. Ktoś szedł ze śmieciami, ktoś do drewnianego sraczyka, ktoś z wiadrami po wodę. Dzieciarnia w nieustającym wirze. Chłopactwo na smołowanych dachach komórek na węgiel. Od czasu do czasu otwierało się jakieś okno i ktoś krzykiem ich zganiał. Brązowe drewno, czarna smoła i szary ni to beton, ni to piach podwórka. Przesiadywałem godzinami, ponieważ miałem cztery lata i matka uważała, że to wszystko tam jest jeszcze zbyt niebezpieczne. Plac Szembeka zapamiętałem najwcześniej jako nazwę części świata. Na Szembeka to, na Szembeka tamto, przy Szembeka, za Szembeka... Jak jakiś środek wszechrzeczy. Tam stał kościół. W głębi placu, bury, jakiś chyba przedwojenny modernizm. Jakaś wariacja na temat gotyku. I może przez obcość brzmienia ten Szembek pozostał w pamięci. Chodziliśmy w każdą niedzielę. We trójkę, ja w środku. Na pewno trzymałem ich za ręce. W białych rajstopkach, w bereciku. Po kilku stopniach do środka. Nie mogę oprzeć się wrażeniu, że byłem tam sam. Że nawet ich nie było, nie było matki ani ojca, tylko ja i to wnętrze. Zapomniałem wszystkich ludzi. Została tylko wysoka perspektywa nawy. Nie pamiętam też nudy ani chłodu. Podwórko ze sraczykiem i rwetesem oglądane z okna i opustoszały kościół to są moje najwcześniejsze wspomnienia z Grochowa. W żaden sposób do nich nie tęsknię, ale już nie będę miał innych. Po drugiej stronie Grochowskiej przy Zamienieckiej był bazar. Gdzieś niedaleko była cukiernia z malowidłami na ścianach, które przedstawiały smukłych Murzynów na żółtym pustynnym tle. Ale równie dobrze mogła to być plaża. Gdybym dziś poczuł zapach tamtego wnętrza, na pewno bym go rozpoznał. Ciała Murzynów miały ten sam kolor, co pączki w szklanej witrynie. Dlatego wydawało mi się, że ci Afrykańczycy są w gruncie rzeczy jadalni, że mają słodki smak. Potem szliśmy z matką do parku. Ja tuż przy ziemi, wśród zarośli, jakbym się przedzierał. W żeliwnych, czworokątnych studzienkach bulgotała woda i przelewała się przez krawędzie. W środku były zawory z okrągłymi, ażurowymi kurkami. Ogrodnicy podłączali do nich węże. Woda rozlewała się wokół i tworzyła kałuże. W upalne dni parowały chłodem. Niewiele więcej pamiętam niż tę niską, przyziemną perspektywę z ciemnymi lustrami wody i żwirem alejek. Ale podobnie jak w kościele nie zapamiętałem niczyjej obecności. Tylko gorące, gorzkawe wonie upału i zbutwienia.

Cały Grochów tak pachniał. Wszędzie zakradało się nieplewione zielsko, ugór i nieużytki. Wieś już się skończyła, lecz nic się nie zaczęło. Baraki, spłowiała papa, parter. Miasto wstawało gdzieś w oddali. Z wysokich nasypów Olszynki widać było czerwone zachodzące słońce i czarną sylwetkę Pałacu Kultury. Ale to było później. Teraz spacerowałem z matką za rękę. Bała się, że zginę, że porwą mnie Cyganie, że pochłonie mnie to miasto złożone z dwupiętrowych kamienic przy głównej ulicy i plątaniny zaułków na tyłach. Cieniste, ciche uliczki miały wygląd powiatowych peryferii. Stamtąd zresztą wzięły swoje nazwy: Biłgorajska, Stoczkowska, Łukowska, Lubartowska, Nasielska, Pułtuska, Serocka. Powojenny migrujący lud, mięso armatnie industrializacji i komunizmu, czuł się jak u siebie. Jakby nie wyjechał z rzeczywistego Biłgoraja, prawdziwego Lubartowa, prawdziwego Serocka, nie opuścił serca i sedna tego kraju. Wystarczyło zejść z Grochowskiej i było jak w Sokołowie. Ale matka trzymała mnie za rękę, żebym nie zginął. Jesienią przyjeżdżały wozy zaprzężone w ciężkie konie. Podkowy krzesały iskry na kocich łbach. Można było kupić ziemniaki i węgiel. Miałem pięć lat i byłem samotny. Nasłuchiwałem szczekania psów w ogrodach. Zimą powietrze pachniało węglowym dymem. W mroźne dni ten zapach był odurzający. Jak gorąca woń rozkładu latem.

Jedenaście lat później, gdy wróciłem, wychodziliśmy na wysokie nasypy Olszynki. Patrzyliśmy na zachód, na czarną wycinankę miasta i czerwone słońce. Na wschód, na szare, lśniące od deszczu grzbiety pociągów. Niektóre wagony miały pokonać całą Azję i zatrzymać się na brzegu Pacyfiku. Staliśmy i patrzyliśmy to na miasto, które miało być czymś w rodzaju Zachodu, to w jesienną mgłę, za którą już gdzieś w Mińsku Mazowieckim zaczynał się step. Dokładaliśmy patyków do ognia w starym kotle i byliśmy jak rozbitkowie na bezludnej wyspie. Ale nie czuliśmy strachu, tylko radość, ponieważ oddaleni od świata mogliśmy oddawać się wyobrażeniom na jego temat i mogliśmy do niego tęsknić. Bo Olszynka, Grochów i cały ten kraj leżały gdzieś pomiędzy. Ani tu, ani tam. Wciąż coś przypominał. Budził tęsknotę, która wchodziła w serce jak delikatna igła, niosła ukojenie i znieczulała. Laudanum.

W pierwszy dzień Bożego Narodzenia przed tamtą Wielkanocą pojechaliśmy do Budapesztu. Nie było śniegu, tylko mgła. Na słupkach ogrodzenia przy autostradzie siedziały drapieżne ptaki i czekały na żer. Wiał zimny wiatr. Na pustym parkingu założyłem kalesony, bo pomyślałem, że w mieście będzie z tym trudniej. Wjechaliśmy koło jedenastej. Było pusto i szaro. Mało samochodów, mało ludzi. Zostawiliśmy auto niedaleko Hősök tere i Dózsa György i poszliśmy w stronę Keleti. Chciałem mu pokazać cmentarz Kerepesi, który przypominał miasto w mieście, z grobowcami jak domy i alejkami jak ulice. Nawet samochody nimi jeździły i przy tym święcie Bożych narodzin ruch tutaj był większy niż w Budapeszcie. Ludzie sprzątali, ustawiali kwiaty, w tych autach mieli wiaderka i szczotki. Kto nie czyścił, ten spacerował. Całe rodziny się przechadzały. Ruszyliśmy w głąb miasta. Na pewno Rákóczi, potem Károly, potem Andrássy, by w końcu usiąść w Művész przy kawie. A może z Rákóczi skręciliśmy w Erzsébet i właśnie tam, przy Blaha tér, bezdomni mieli coś w rodzaju manifestacji? Nie pamiętam. Byliśmy sami, więc mogę wymyślać miejsca i zdarzenia. W każdym razie pojechaliśmy po to, by po prostu chodzić po mieście, dopóki nie opadniemy z sił. Było wielkie, ciemne i zimne. Górne piętra kamienic ginęły w mroku. Prócz nas przez most Łańcuchowy szło tylko kilku japońskich turystów. Okutani, pękaci, zakapturzeni, z plecaczkami wyglądali jak zagubieni Eskimosi. A jak wyglądaliśmy my? W kusych kapocinach, w łapciach jakichś, jakbyśmy po papierosy wyskoczyli. Jak dwadzieścia lat temu, jak trzydzieści do kiosku na rogu Garwolińskiej i Szaserów i potem przez ten wygon w stronę Prochowej, Paca i Nizinnej. Prawie biegliśmy przez Széchenyi lánchíd, żeby nie zamarznąć. Z tunelu wiał lodowaty wiatr. Zawróciliśmy. Jak przemarznięte cienie. Prawie jak kiedyś, gdy snuliśmy się długo w noc z płomykiem alkoholu gdzieś pod sercem. Może czas wcale nie płynął. Może zmieniały się tylko okoliczności. Rzeczy i zdarzenia przesuwały się obok, potrącając nas, poszturchując i zagarniając, ale my wciąż byliśmy tacy sami. Tak? Więc zawróciliśmy i znowu w Andrássy, w lewo, przez Oktogon i już cały czas prosto, aż do samochodu, w którym nareszcie przestało wiać. Więc co? Umieramy ledwo zmienieni? Ledwo napoczęci, ponieważ nie możemy odnaleźć różnicy między nami kiedyś a nami teraz? I gdy ona przychodzi, to nie wiemy, jak się zachować? Ponieważ nie dzieliła z nami naszych dni ani losu? Ponieważ przyszła na gotowe.

Za Miszkolcem ktoś zamachał w mroku i go wzięliśmy. To był chłopak i trochę się speszył, gdy powiedzieliśmy mu, że nie jesteśmy Węgrami. Ale znaliśmy nazwę miejscowości, którą wymienił, i powtarzaliśmy ją uspokajająco. Żeby nie czuł się osamotniony, znalazłem radio Bartók czy radio Petőfi i przez pół godziny mógł słuchać ojczystej mowy. Siedział skulony z tyłu. Wydawało mi się, że ma ciemną, cygańską twarz. Pachniał papierosami. Przed Miszkolcem zamieniliśmy się za kierownicą i teraz popatrywałem kątem oka, jak prowadzi. Lekko pochylony, jakby czuł na sobie pęd przestrzeni, jakby chciał stawiać jak najmniejszy opór. Gdy wyprzedzał albo przyspieszał, wychodząc z zakrętu, pochylał się jeszcze bardziej, z prawą dłonią na dźwigni biegów, nieco bokiem, z lewym ramieniem odrobinę wysuniętym w przód, wystawionym pod wiatr. Gdy zacząłem prowadzić, bezwiednie go naśladowałem. Bo on jeździł od zawsze, odkąd pamiętam. W siedemdziesiątym szóstym, w siedemdziesiątym siódmym z okien drugiego piętra szkoły patrzyłem, jak jeździ po próbnym torze przy fabryce. Tor był betonowy, owalny i miał kilka kilometrów. Zakręty były wyprofilowane pod niebywałym kątem i brało się je, nie zdejmując nogi z gazu. Taką miał pracę. Wsiadał i jeździł. Sprawdzał fiaty 125p. Stały wzdłuż Stalingradzkiej. Setki aut pod gołym niebem. Gdy padał deszcz, ich dachy lśniły jak kolorowe kafelki. Pytałem go, o której będzie jeździł i jakim. Umawialiśmy się, że na przykład między pierwszą a drugą czerwonym. Wchodziłem na drugie piętro i patrzyłem, jak monotonnie zatacza kolejne elipsy. Trzy, cztery minuty na jedno okrążenie. Czasami jechało kilka samochodów naraz. Ścigali się, chociaż nie było to dozwolone. Więc raczej po południu, na drugiej zmianie, gdy miałem warsztaty. Wymykałem się z hali pełnej obrabiarek i szedłem na górę patrzeć. Po drugiej stronie rzeki bielały wieże klasztoru kamedułów. Nie było jeszcze mostu, więc widok pozostawał czysty i piękny. Otwierałem okno, by usłyszeć odgłos silników. Czerwone auto, żółte, szare. To się zjawiały, to znikały. Z okna widać było jedynie część toru i wyjście z jednego zakrętu. Zazdrościłem im. Na prostej jechali sto dwadzieścia, sto trzydzieści. Na zakrętach prawie tyle samo, bo skośny profil toru równoważył siłę odśrodkową, która wciskała ich w siedzenia. Tego mu zazdrościłem w 1976, w 1977. Utytłany w smarze, przesiąknięty zapachem gorącego oleju i metalu, stałem w kusym drelichu i patrzyłem, jak gna niczym na amerykańskiej autostradzie, i gdy o zmierzchu padał deszcz, to tylne światła rozsnuwały w powietrzu czerwoną fatamorganę. Po paru minutach musiałem wracać na dół do nudnej udręki przy tych wszystkich maszynach: tokarkach, frezarkach, szlifierkach. Większość była sowiecka i stara. Z lat czterdziestych i pięćdziesiątych. Wszystkie pomalowane jasnozieloną farbą. Musieliśmy nosić czarne filcowe berety i ciężkie buty. Umierałem z nudów. Fabryka miała się żywić naszymi ciałami. Naszym mięsem. Mieliśmy za rok, dwa wstawać przed piątą rano jak nasi ojcowie i w lodowatej ciemności jechać pod żarłoczne bramy. Ostre jak brzytwa, spiralnie skręcone wióry spod noży tokarskich mieniły się tęczowo. Oliwa. Metaliczny smród. Ostra woń iskier spod korundowych tarcz. Wstawać przed piątą, żeby to wszystko uruchamiać. Fabryka ciągnęła się kilometrami i tysiące maszyn czekało na niewyspany proletariat. Umierałem ze strachu na myśl, że tak skończę. Musiałem być zdrajcą, żeby ocaleć. Brałem papierosy i szedłem wieczorem przez wyludnione piętra szkoły. Otwierałem okno, paliłem i wydmuchiwałem dym w ciemność. Umawialiśmy się, że jak będzie jechał, to punkt siódma mignie parę razy długimi. Potem znikał i widziałem, jak wychodzi z zakrętu, i zostawał tylko czerwony poblask. Wyobrażałem sobie, że tor się rozwija, prostuje i zamienia w szosę wiodącą w głąb nocy. I że jedziemy razem tym autem skradzionym fabryce, naszym ojcom, naszemu przeznaczeniu. Fiaty miały wtedy szybkościomierze w postaci poziomej skali. Czerwona kreska przesuwała się jak zabarwiona rtęć w leżącym termometrze. Aż chciało się przyspieszać: sto, sto pięćdziesiąt, dwieście, trzysta, nieskończoność... Paliłem, aż poczułem, że parzy mnie w palce. Schodziłem po wyślizganych schodach z lastryka. Hala maszyn była w przyziemiu. Wydawało się, że cały budynek wibruje. Wiertła, noże tokarskie, frezy zagłębiały się w metal i wydobywały z niego kształty przyszłych mechanizmów. Mieliśmy być robotnikami i mieliśmy kształtować materię. Mieliśmy wydobywać formy z bezkształtnych, pokrytych rdzawym nalotem brył. W fabryce mogłem godzinami patrzeć, jak pracują kowale. Mechaniczny młot miał wysokość jednopiętrowego domu. Kowal trzymał w kleszczach pomarańczowoczerwony kęs metalu i sterował młotem za pomocą pedału. W kilkadziesiąt sekund formowali dowolny wielopłaszczyznowy kształt. Młot spadał z siłą kilkunastu ton, to znów ledwo muskał powierzchnię, nadając jej ostateczną formę. Wnętrza elektrycznych pieców świeciły jasnozłotym, niemal białym blaskiem. Posadzka, mury, fabryka drżały od uderzeń. Jakby nadchodziło coś przedwiecznego, coś z głębi ziemi. Taki odgłos mogły mieć kroki światowego proletariatu, gdyby nie został oszukany i zdradzony. Jak nasi ojcowie. Wychodzili rano i wracali z każdym rokiem coraz bardziej przygnębieni, coraz bardziej złamani. Tak nam się wydawało. Że są uwięzieni we własnym życiu jak owady w bursztynie. Wszystko wokół jest przejrzyste, widzialne, ale nie mogą wykonać żadnego ruchu. Pierwszego każdego miesiąca przynosili pieniądze. Siadali przy kuchennych stołach i rozkładali banknoty. Żony przyglądały się w milczeniu. Było coś wstydliwego w tych rachunkach. Gorycz przegranej. Banknoty były wtedy większe niż dzisiaj. Na rewersie czerwonej stuzłotówki widniała fabryka. Najprawdopodobniej huta, ale raczej fabryka w ogóle, fabryka symboliczna. Z kominów snuł się szary dym. W obłoku białej pary toczyła się pękata lokomotywka. Jakaś nieokreślona groza przenikała ten obraz. Może właśnie przez tę dymną czerwień. Gdzieś z tyłu, w perspektywie otwierało się świetliste niebo, i to było jeszcze bardziej niepokojące. Gdy miałem siedem lat, wydawało mi się, że fabryka płaci ojcu za pracę swoimi wizerunkami. W istocie nie było to dalekie od prawdy, bo przecież jeśli te pieniądze miały jakąkolwiek wartość, to jedynie tam, gdzie sięgał ciemny i ciężki cień fabryki.

Można je było wydać jedynie na podtrzymanie słabnących sił. Na chleb, cukier i tanie mięso, by ciało nie odmawiało posłuszeństwa o świcie, gdy trzeba było wstawać i wychodzić na chłód. Było coś monstrualnego w tych tłumach wchodzących rano do wnętrza fabryki, do jej brzucha. Szli jak na zagładę, na pożarcie. Nasi ojcowie. W to drżenie przenikające ziemię i powietrze. Można było sobie wyobrazić, że są nadzy, nadzy i bladzi wśród tysięcy innych. Tak byli bezbronni. Zamienieni w mięso. Tak bezradni, gdy przynosili pliki czerwonych, zniszczonych banknotów. W zgięciach i załamaniach zbierał się ślad dotyku dłoni. Czarne żyłki brudu. Zupełnie jak na spracowanej skórze. Nieusuwalne.

Dlatego gdy tam staliśmy, w tym martwym wnętrzu, i patrzyliśmy, jak mechanizm wsuwa cię do pieca, nie mogłem przestać myśleć o fabryce. Był późny wieczór i było zimno. Jak na drugiej albo trzeciej zmianie, gdy wnętrza, maszyny i ludzie przy nich stawali się mniej realni. Wydawało się, że ciemność tłumi odgłosy. Że łoskot metalu, echo blach, uderzenia, wizg ostrzy tnących stal stają się cichsze, że echo je porywa i rozpyla gdzieś w nieskończoności nocy. Tak jak ciebie płomień i powietrze unosły w czarne niebo. Potem, gdy już wyszliśmy, nie mogłem oderwać wzroku od komina z kwasoodpornej, chromowej stali. Jakbym cię wyglądał. Jakbym wypatrywał twojego ducha. Zastanawiałem się, czy mają tam pozakładane jakieś filtry, żeby się umarli nie przedostawali do atmosfery i nie osiadali na okolicy.

Wiatraczna. Zapach chleba późną nocą snujący się z piekarni. Budynek z czerwonej cegły i z ceglanym kominem wyglądał na trochę zrujnowany albo niedokończony gdzieś przed laty. Ale był żywy, ciepły i nad ranem pachniał gorącą, brązową skórką od chleba. Stukało się w okno i dziewczyny z nocnej zmiany przynosiły bułki. Były tak gorące, że dało się je utrzymać tylko przez ubranie. Parzyły w kieszeniach. Piekareczki nigdy nie chciały pieniędzy. Sklep na Kobielskiej otwierali o szóstej, ale mleko w skrzynkach stało już przed piątą. Żyć, nie umierać. Bułki parzyły, a mleko było zimne. Jacek powiedział kiedyś: Grochów jest jak Brooklyn. Kiedy stojąc na przystanku autobusowym w stronę Pragi, przy tym baraku z rurkami z kremem i kawiarenką, patrzyło się równocześnie w perspektywę Grochowskiej i Waszyngtona, to naprawdę był. Był jak Brooklyn i był jak Bronx. Jak wszystkie te miejsca, z których widać, jak na horyzoncie wznosi się prawdziwe miasto. Waszyngtona była idealnie prosta i w oddali, za rzeką, widać było wieżowce Śródmieścia. A tutaj parter i waflowe rurki napełniane kremem z aluminiowej maszyny najpierw na korbę, a potem już na prąd. Brooklyn i Bronx. Krypska, Korytnicka, Kutnowska, Komorska, Kawcza.

O zmierzchu wychodziliśmy z mieszkania i szliśmy na przystanek przy Garwolińskiej. Prawdopodobnie była jesień. Papierosy nasiąkały mgłą. Wszędzie stała ciemność. Po lewej wzdłuż Szaserów zalegał wielki sześcian ciemności. Jak się tam szło, to z takim poczuciem, że trzeba sobie przyświecać własnym ciałem. Aż po Prochową, aż po Nizinną. Ale tym razem, który teraz próbuję opisać bądź wymyślić, czekaliśmy na 102. Ruszało z Olszynki, więc przyjeżdżało prawie puste. Siedzenia z czerwonego skaju miały w sobie jakąś lubieżność. Jak na miejski autobus były zbyt miękkie, zbyt delikatne. Jak meble w mieszkaniu. Wyzywająca wygoda w zestawieniu z surowością czasu, krajobrazu za oknem i chłodem jesieni niepostrzeżenie zamieniała się w zmysłową perwersję. Dotykało się tej tapicerki jak ciepłego ciała. Czerwień była ciemna jak lekko rozcieńczone wino. Silnik odzywał się niskim, jakby wilgotnym gulgotem. Bardzo to był osobliwy dźwięk jak na diesla i jak na silnik w ogóle. Jakiś podmorski, wielorybi. Autobusy nazywały się Berliet i miały francuskie pochodzenie. Jechaliśmy do Śródmieścia na piwo. Na drugi brzeg rzeki, dobrze ponad pół godziny, żeby wypić kufel piwa w „okrąglaku" na rogu Plater i Świętokrzyskiej. Niewykluczone, że była zima i dawali grzane. Kobieta nalewała pół z kranu i resztę dopełniała z wielkiego aluminiowego czajnika stojącego na elektrycznej maszynce. Ta zagrzana część zawierała cukier, cynamon i goździki. W środku się stało. Nie było żadnych stołków. Mężczyźni nie mieścili się, bo miejsca było tyle, co kot napłakał. Stali na zewnątrz wśród bezlistnych krzewów. To chyba w ogóle miał być miejski szalet wybudowany przy okazji budowy Pałacu Kultury, bo nawet piaskowiec był taki sam i styl jakoś nawiązywał do stalinowskiego kolosa, w którego cieniu przycupnął. Piwo było mętne od cynamonu i zaraz stygło. Ale przyjeżdżaliśmy, żeby stać wśród ludzi. Wśród tych facetów w szarych marynarkach, w burych jesionkach. Ciągnęło nas. Prawdopodobnie – chociaż nigdy nie powiedzieliśmy tego wprost – uważaliśmy, że to oni żyją prawdziwym życiem. Życiem, którego za nic nie chcielibyśmy wieść, ale też nie potrafiliśmy się go do końca wyrzec. Byliśmy renegatami. Wciąż powracaliśmy pomiędzy naszych ojców. Obok proletariackiego pałacu, którego cień kładł się wokół jak tafla czarnego lodu. Nie tylko przy Szaserów zalegał mrok. Wypełniał całe miasto. Wszędzie ledwo żywe, żółtawe albo szarawe światła. Poruszaliśmy się, przyświecając sobie nawzajem. W 102, w okrąglaku, w 21 na Żerań, w 3 na Gocławek, by patrzeć, jak miasto przycicha, jak pokornieje, parterowieje i odsłania widnokrąg. Potem zostaje z tyłu, znika i zjawia się na przykład ten dzień – o którym chciałbym wiedzieć, gdzie się ostatecznie podział – gdy jechaliśmy w ostatnim wagonie, w otwartych drzwiach, a dym z papierosów mieszał się z rozgrzaną wonią podkładów. Przechodziło ci w ogóle przez myśl, że umrzesz? Albo że ja umrę? Że kiedyś będziemy patrzeć, jak nas zakopują albo wkładają do pieca? Że tylko to będziemy mogli dla siebie zrobić? Tylko patrzeć? Zagórz, Morochów, Szczawne albo Kulaszne, Rzepedź, Komańcza. Za Rzepedzią tory przekraczają Osławę. Most jest stalowy, nitowany, wznosi się w cieniu urwiska. To miejsce z jakiegoś względu powraca do mnie w snach.

Nie wiem dlaczego. Po prostu tak jest. Gdy jechaliśmy tamtego lata, w lipcu, prosto na południe, powoli, bez celu, z rozkoszą, którą daje obecność i dotyk świata na skórze, odgłos mostu odbijał się echem od urwiska. Ten dźwięk musiał sprawiać nam radość. Może nawet spojrzeliśmy na siebie, starając się ukryć uczucia? A ona już wtedy była? Stała za nami w tym obsyfionym kolejowym korytarzu i poruszając kościanym palcem, odliczała? Ene, due, rike, fake, torba, borba, usme, smake? Nie wiem. Może jej nie było. Bo przecież nie od razu jesteśmy śmiertelni. Wtedy nie byliśmy. I jeszcze przez wiele lat. Teraz wracam do nich. A może to one przychodzą do mnie? W środku dnia, w pół czynności. Tamte dni. Gdy nic nam nie groziło.

Ostatniego lata pojechaliśmy w stronę Przemyśla. W Birczy skręciłem w prawo, bo chciałem mu pokazać Arłamów. Po drodze były wysiedlone wsie ukraińskie. Jamna Górna, Jamna Dolna. Dnem płaskiej doliny płynął strumień. Tam, gdzie stały kiedyś domy, rosły sześćdziesięcioletnie drzewa. Stanęliśmy, żeby się przejść. Był trochę zagubiony. To drobił, to przyspieszał, to w tę, to w tamtą, pochylony, jakby czegoś szukał. Jakbyśmy tu przyjechali, żeby

odnaleźć jakiś drobiazg, który zgubił. Rozmowa się
rwała. Patrzyłem, jak kręci się wśród drzew. Pomyślałem, że tak mało go znam. Że przywołuję dawne
obrazy, nie pytając go o zdanie. Bo tak jest wygod-
niej. Że nie chcę nadążyć. Nie chcę mu towarzy-
szyć. Patrzyłem, jak drepce, i dziwiłem się, że jest
taki stary, chociaż wciąż był tym chłopakiem z sie-
demdziesiątego siódmego roku, z osiemdziesiątego
trzeciego, z dziewięćdziesiątego pierwszego albo
drugiego, gdy przyjechał do nas czteroletnim czerwonym escortem. Wciąż widziałem tamtą twarz,
która przez lata pozostała niezmieniona, i dopiero
teraz, gdy zaczęło nas odgradzać coś w rodzaju mil-
czenia, czas raptem ruszył i przyspieszył jak prze-
wijany film. Pojechaliśmy dalej, by ledwo rzucić
okiem na ten beznadziejny Arłamów, gdzie lud pła-
cił po sześć stów za noc spędzoną w łóżkach, w których wylegiwali się Tito i Ceauşescu. Kawałek dalej
była Kalwaria Pacławska i wystarczyło ją przeje-
chać, minąć kościół i polną już drogą wydostać się
w miejsce, skąd roztaczał się potężny i wysoki widok na Ukrainę. Ze wzniesienia w dobrą pogodę patrzyło się na kilkadziesiąt kilometrów w głąb. Ale
nie zrobiłem tego. Widziałem, że jest zmęczony. Że
chwilami przysypia, a chwilami patrzy przed siebie,

gdzieś na wskroś krajobrazu, poprzez wzgórza i długie grzbiety ząbkowane lasem na tle nieba. Nawet mu nie proponowałem, by prowadził. Po czerwonym escorcie miał smukłego caprika. Był zielony i wiekowy, ale na jego widok robiło się ciepło w sercu. Ubogi krewny mustanga. Kupił go z V6, który zaraz się rozleciał, więc przełożył prostą rzędową czwórkę, chyba tysiąc sześćset. Caprik miał teraz odejście jak polski fiat sprzed trzydziestu lat, ale przynajmniej nie palił już piętnastu litrów. Siedziało się nisko, a maska była długa jak pokład tankowca. Dłubał przy nim nieustannie. Patrzył ze smutkiem, jak korozja wpełza na progi, jak chwyta dolne krawędzie drzwi. Czyścił, szlifował, robił zaprawki. Wnętrze było skromne i wytarte. Tapicerka dawno wyszarzała, a spod resztek gumowych nakładek pedałów świecił wyślizgany metal. Ale nigdy przedtem ani potem nie jeździł piękniejszym autem. Ani ja. No więc ponieważ trochę przysypiał, postanowiłem, że pojedziemy tylko do Krasiczyna na obiad i wrócimy. Zamek był biały jak z cukru pudru. W letnim słońcu ledwo można było patrzeć. Ale w parku zalegał cień i duszna wilgoć ciągnęła od stawu. Perła renesansu. Koronka attyk, sgraffito jak jakaś szalona wycinanka rozlepiona na tej bieli. Wszystko nowe, wylizane,

wysmyrane, lepsze od oryginału, wyraźne aż oczy
łzawiły. Wyszliśmy na dziedziniec i nic, tylko klęk-
nąć. Pierwszy raz byłem tu w 1975. Na gołej ziemi
leżał gruz, piętrzyły się sterty piachu, z kuchni na
parterze snuł się zapach smażeniny i stał całe popołudnie w czworoboku dziedzińca. Zamek należał do
fabryki naszych ojców i wysyłali nas tu na wakacje.
W nagich komnatach stały żelazne łóżka. W korytarzu była jedna, wiecznie obsrana łazienka. San
płynął tuż za ogrodzeniem parku. Całe dnie leżeliśmy na gorących kamieniach. Wieczorami wymykaliśmy się do wiejskiego sklepu po owocowe wino.
W mroku piliśmy na umór. Jak prawdziwe dzieci
proletariatu. W zrujnowanym magnackim zamku.
Rzygaliśmy w zakamarkach angielskiego parku. Ale
jego jeszcze nie znałem. Teraz siedzieliśmy w pu-
stej zamkowej restauracji bez wyrazu. Jadł powoli,
jedną ręką, lekko pochylony na bok. Coś mówiłem.
Opowiadałem stare historie. Sprzed naszej znajomo-
ści i nawet mnie to trochę dziwiło. Że był taki czas.
Przymykał oczy i wolno przełykał. Trudno było zgad-
nąć, czy z przyjemnością, czy z wysiłkiem. Opowiadałem o tamtych wakacjach w 1975 roku. Jesienią
miałem pójść do fabrycznej szkoły i go poznać, gdy
stanął w drzwiach w tej swojej zamszowej kurtce.

Jeszcze tego roku pokazali nam w szkole, która miała własną salę kinową, *Narkomanów* Jerry'ego Schatzberga z młodym Alem Pacino. Zrobili to zapewne w celach dydaktycznych. My jednak zazdrościliśmy ćpunom, ponieważ ćpali w Nowym Jorku. Wynędzniały i wiecznie zmarznięty Pacino krążył gdzieś między Park Avenue a Broadwayem. Tam biło serce świata. Myślę, że chcieliśmy być ćpunami na Manhattanie. Omal nie zostaliśmy ćpunami na Grochowie. Wracaliśmy wieczorem do jego pokoju. To był kawałek czegoś większego oddzielony od reszty dźwiękoszczelną płytą. Taką, jak kiedyś w studiach radiowych. Był materac, jakaś szafka, płyty i adapter. Nie mam pojęcia, skąd w tamtych czasach miał *Highway 61*. Granatowa, lśniąca okładka. Rodzice oglądali za ścianą telewizję. Byli dobrzy. Nigdy nie robili nam uwag. Nawet gdy wracaliśmy nad ranem. Przemykaliśmy się na ten materac i zasypialiśmy w ubraniach. Czasami, gdy jeszcze nie było za późno, grał. Nie pamiętam jego pierwszej gitary. Wciąż mówiliśmy „Ibanez to, Ibanez tamto", „Martin śmo, Martin owamto". Ale pewnie miał coś polskiego, może potem tę rosyjską, potem może czeską cremonę. Przez oszklone drzwi i tekturową ścianę słychać było telewizor, a on śpiewał *Tomorrow Is*

a Long Time. W niedzielne poranki robił jajecznicę.
Jedliśmy i patrzyliśmy przez okno. Domy z szarej ce-
mentowej cegły stały w czworoboku. Podwórze było
zielone, zarośnięte jak wiejski ogród. Ludzie wychodzili na słońce. Bladzi mężczyźni, grubawe kobiety.
Siedzieli na ławkach i mrużyli oczy w cieple i blasku.
Dzieciarnia miała piaskownicę. Odgłosy wielkiego
miasta nie docierały, tylko dźwięki tego zwykłego,
ludzkiego życia. Czasami, zwłaszcza w nocy, słychać
było pociągi. Brał wtedy gitarę, grał jednym palcem
i szeptem podśpiewywał *Midnight Special.* Wersję
Big Billa Broonzy'ego, wersję Leadbelly'ego, wersję
Sonny'ego Terry i Browniego McGhee, jednym palcem i szeptem. Rano wyglądaliśmy przez okno i patrzyliśmy na bladych facetów i otyłe kobiety z tych
dusznych mieszkań przesiąkniętych wonią obiadów
i butów stojących w przedpokoju. Potem przez całe
życie szukał sposobu, jak napisać o nich swoją pio-
senkę, jak zaśpiewać własnym głosem trzy zwrotki
o ich życiu. O życiu naszych ojców i naszych matek.
Ponieważ byliśmy zdrajcami, ale nigdy nie straci-
śmy pamięci.

Dzisiaj włączam Google Earth i oglądam tamte
strony. Dom po domu, drzewo po drzewie, krok po
kroku. Odpalam YouTube i odnajduję te wszystkie

kawałki. Wtedy nie wiedzieliśmy nawet, jak wyglądał Leadbelly. Nie wiedzieliśmy prawie nic. Musieliśmy sobie wszystko wyobrażać. Woody'ego Guthrie, kolej transsyberyjską, własne życie.

Wracaliśmy późnym popołudniem. Tkwił między snem a jawą. Od czasu do czasu pytał, gdzie jesteśmy. Bircza, Tyrawa, Sanok. Kiwał głową uspokojony i opuszczał powieki. Był lipiec i trwały sianokosy. Na łąkach leżały sprasowane bele siana. Jeszcze parę lat temu, gdy jeździliśmy przez Pogórze, wszędzie stały smukłe kopki na ostrewkach. Gdy słońce zniżało się, kopki rzucały długie, ciemnozielone cienie. Wszystkie wskazywały ten sam kierunek i w rozfalowanym, nieregularnym krajobrazie ta geometria była piękna i nierzeczywista. Tak więc kopek już nie było. Zarszyn, Besko. W Rymanowie skręciłem na południe, żeby przez Daliową, Tylawę i Duklę dojechać do drogi 993. Zaraz za Łysą Górą otwiera się w kierunku północno-zachodnim potężny, bezkresny widok. Powierzchnia ziemi zapada się łagodnie, Beskid wypłaszcza się i pozwala powietrzu wreszcie się rozprężyć. O zachodzie słońca fioletowe, czerwone i złociste smugi, najpierw poziome i wyraziste na krańcach tego obrazu, zamieniają się w świetlisty pył i prószą na ziemską równ, na Żmigród, na Jasło, na ten świat, który w dole już ciemnieje, już zamienia się w popiół i cień. Tę ogromną nieckę pełną żaru i stygnących węgli zamyka Liwocz. Jego długi, granatowy grzbiet chroni kotlinę i osłania od wiatrów, by wszystko do końca mogło się spokojnie i nieuchronnie wypalić. Zawsze tak tu jest. I tym razem tak było. Chciałem jak zwykle stanąć na poboczu, ale bałem się, że go obudzę. Więc zwolniłem tylko i patrzyłem na prawo. Spał z odchyloną głową. Usta miał lekko otwarte. Widziałem, jak jego ciemny profil przesuwa się na tle rozpalonego nieba. Blask w końcu mnie oślepił i pochłonął wątłą postać.

Brakuje mi go. Nawet nie dlatego, że umarł. Do tego można się przyzwyczaić. Po prostu trochę inaczej się myśli o czyimś życiu jako rzeczy dokonanej. Trzeba się przyzwyczaić, że już nic się nie zmieni i będziemy mieli tylko przeszłość. Ale brakuje mi miejsca, gdzie jest. Nie żebym od razu chciał odwiedzać grób. W każdym razie niekoniecznie. Ale chciałbym wiedzieć, że istnieje w jakiejś materialnej postaci. Leży półtora metra pod ziemią w określonym miejscu, którego już nie zmieni. Że gdzieś spoczywają dowody na jego istnienie i na istnienie tego wszystkiego, co przechowuje pamięć. Chyba że ona wystarcza sobie samej. No więc czasami brak mi tego miejsca. Mówiąc wprost, brak mi jego resztek, chociaż może to brzmieć makabrycznie. Dowodu, że żyliśmy prawdziwym życiem, nie?

Co ci w ogóle przyszło do głowy z tym spaleniem? Że co? Że to tak ładnie, że nic nie zostaje, tylko duch się będzie unosił w przestrzeniach nieskończonych? Że nie oddasz swojego wychudzonego ciała na rozkład, żeby weszło powoli w ziemię? Szkielet zaś żyłby wiecznie. I przyciągał myśli, ożywiał pamięć. Przecież wciąż jesteśmy dzicy i potrzebujemy totemów, potrzebujemy fetyszy. Myśl musi czegoś dotykać. Ja sam muszę nad czymś zapłakać. Nad czymś konkretnym, a nie tylko nad wspomnieniami. Człowiek, który żyje dłużej, powinien mieć szansę stanąć na ziemi, pod którą spoczywa ten, który umarł. Wiedzieć, że on tam jest. Że kości umarłego czuwają nad życiem tego, który jeszcze żyje. Półtora metra pod ziemią. Że można na tym miejscu postawić stopę i czerpać z niego siły. Tak sobie czasem myślę. Syn ludu, który niegdyś swoich zmarłych chował pod progiem. Żeby ich mieć na wieki. Żeby życie trwało nieprzerwanie. Tak czasem myślę, gdy mi ciebie brakuje. Gdy czuję się trochę sam. Nie mam pretensji. Tylko ci mówię. Wiesz, jaka straszna jest Wólka Węglowa w zimową noc? Jaka pusta, ciemna i lodowata? Gdy już odleciałeś przez komin z kwasoodpornej stali, gdy się rozpłynąłeś, jakby cię nigdy nie było, zostaliśmy sami. Czarne miasto dudniło w oddali – ten mechaniczny i zarazem cielesny pomruk, jakby gigantyczne bydlę śniło bezlitosny sen, który się ziści. Na pewno nie miałeś pojęcia, że parę dni później trzeba było połowę tego, co z ciebie zostało, nielegalnie odkupić od grabarzy. Ponieważ stałeś się własnością państwa. Gdzieś za rogiem, za nagrobkiem odsypywali proszek, jakby dilowali. Niczego nie przewidzisz do końca. W tych swoich żałobnych uniformach, w których wyglądali jak zbiegli cyrkowcy, z tymi minami sfinksów, z tymi twarzami, na których nieodmiennie wypisany był dzień wczorajszy oraz zrezygnowana mądrość, całkiem jak chłopaki z Grochowa. Z Osiedlanki, Zagłoby, z Grochowskiego. Jak faceci po fajrancie przy Makowskiej. Chłopaki za dwie szósta odbijający karty zegarowe na bramie przy tłoczni, przy dyrekcji, przy spawalni. Jak nasi ojcowie, zanim się na stałe postarzeli. Niczego nie przewidzisz do końca i nie wiesz, kto cię będzie przeprawiał przez Styks. Chłopaki z Grochowa za stówkę odsypujący połówkę twojego ciała. Tak.

Po trzech miesiącach rozsypaliśmy go w górach. W tym rozległym widoku na południowy wschód z ciemnozielonym szczytem Węgierca. Rozsypaliśmy go wewnątrz pejzażu, który lubił. Tak chciał. Żeby go wiatr rozniósł po świecie, po tej dolinie. Była Wielkanoc, zimne słońce i wiatr rzeczywiście wiał. Przez ułamek chwili był jeszcze widzialny, a potem zniknął już na zawsze, nie do odnalezienia. Trochę wpadło mi do oka, ale łza zaraz wypłukała pył.

Spis treści

WYDAWNICTWO CZARNE SP. Z O.O.
www.czarne.com.pl

SEKRETARIAT: ul. Kołłątaja 14, III p.
38-300 Gorlice, tel./fax +48 18 353 58 93
e-mail: arkadiusz@czarne.com.pl, mateusz@czarne.com.pl,
tomasz@czarne.com.pl, honorata@czarne.com.pl,
ewa@czarne.com.pl

REDAKCJA: Wołowiec 11, 38-307 Sękowa
tel./fax +48 18 351 02 78, tel. +48 18 351 00 70
e-mail: redakcja@czarne.com.pl

SEKRETARZ REDAKCJI: malgorzata@czarne.com.pl

DZIAŁ PROMOCJI: ul. Andersa 21/56, 00-159 Warszawa
tel./fax +48 22 621 10 48
e-mail: anna@czarne.com.pl, agnieszka@czarne.com.pl,
dorota@czarne.com.pl, zofia@czarne.com.pl

DZIAŁ MARKETINGU: ewa.nowakowska@czarne.com.pl

DZIAŁ SPRZEDAŻY: irek.gradkowski@czarne.com.pl
tel. 504 564 092, 605 955 550

SKŁAD: D2D.PL
ul. Morsztynowska 4/7, 31-029 Kraków, tel. +48 12 432 08 52
e-mail: info@d2d.pl

DRUK I OPRAWA: Zakład Poligraficzno-Wydawniczy POZKAL
ul. Cegielna 10/12, 88-100 Inowrocław, tel. +48 52 354 27 00

Wołowiec 2012
Wydanie I
Ark. wyd. 2,4; ark. druk. 6